Renata Piątkowska
OPOWIADANIA
Z PIASKOWNICY

Renata Piątkowska
OPOWIADANIA
Z PIASKOWNICY

ilustracje Iwona Cała

bis

Warszawa 2018

Projekt okładki i ilustracje: Iwona Cała

Korekta: Alicja Chylińska

Copyright © Renata Piątkowska 2006
Copyright © Wydawnictwo BIS 2006

ISBN 978-83-7551-030-0

Wydawnictwo BIS
ul. Lędzka 44a
01-446 Warszawa
tel. (22) 877-27-05, (22) 877-40-33; fax (22) 837-10-84
bisbis@wydawnictwobis.com.pl
www.wydawnictwobis.com.pl

Druk i oprawa: Białostockie Zakłady Graficzne S.A.

 KINO

Jak ja lubię kino. Choć do wczoraj wcale o tym nie wiedziałem. Nie wiem czemu, ale jak już jest coś fajnego, dorośli trzymają to w tajemnicy. Na szczęście usłyszałem, jak mama mówi do babci:

– Wzięłabym Tomka na bajkę o koniku Garbusku, ale nie wiem, czy nie jest jeszcze za mały na kino.

– Ja za mały?! Ja?! Na bajkę o garbatym koniu?! – krzyknąłem, a łzy jak na zawołanie stanęły mi w oczach.

Wtedy mama wzięła mnie na kolana, przytuliła i powiedziała:

– No dobrze, już dobrze. Pójdziemy do tego kina.

Łzy obeschły natychmiast, a mój kłopot polegał już tylko na tym, którą zabawkę zabrać ze sobą na tę wyprawę. Wybrałem pluszowego kucyka, bo to w końcu miał być film o jakimś jego garbatym koledze. I tak trzymając kucyka za ogon, a mamę za rękę, wkroczyłem

do kina. Było tam pełno dzieci, mam i kilku tatusiów. Najpierw musieliśmy kupić bilety. Potem już nie musieliśmy, ale ja bardzo chciałem i mama mi kupiła tekturowy kubek pełen prażonej kukurydzy i drugi z zimną colą. Wszystkie dzieci miały takie kubki i wszystkim wysypywała się z nich kukurydza. Ja mojej bardzo pilnowałem, ale i tak trochę mi uciekło. A potem zobaczyłem wielką salę pełną krzeseł ustawionych w równych rządkach. Kiedy zajęliśmy nasze miejsca, mama zdjęła mi kurtkę i wstawiła mój kubek z colą do specjalnego okrągłego otworka. Każde krzesło miało przy poręczy taki uchwyt. I to było w tym kinie najfajniejsze ze wszystkiego, bo można było mieć wolne ręce, a napój się nie rozlewał. Tego samego zdania był chłopczyk, który siedział obok mnie. Okazało się, że ma na imię Dominik i też trzyma swój kubek w takim uchwycie. Potem nagle zrobiło się ciemno i trochę strasznie. Rozmowy ucichły i nie wiedziałem, co będzie dalej. Złapałem więc mamę za rękę, żeby się nie bała, a ona szepnęła:

– Zaraz, Tomeczku, zacznie się film.

Skoro tak, to wyjąłem mojego pluszowego kucyka i pouczyłem go:

– Siedź cichutko na moich kolanach, bo zaraz się zacznie.

I rzeczywiście ktoś, przez te ciemności nie widziałem kto, rozsunął ogromne zasłony i zobaczyłem wielki na całą ścianę ekran. A właściwie zobaczyłem tylko pół ekranu, bo drugą połowę zasłaniała mi czyjaś głowa pełna loczków. Okazało się, że to głowa jakiejś mamusi, która siedziała w rzędzie przed nami. Za to muzykę słyszałem dokładnie, bo była bardzo głośna. Opowieść o dzielnym koniku Garbusku była dość zawiła, zwłaszcza że ja widziałem tylko górną część ekranu, na której niewiele się działo. Dużo więcej musiało się dziać na dole, bo często słychać było różne piski, odgłosy walki i stukot kopyt. Trochę się nudziłem i zauważyłem, że Dominik też nie patrzy na ekran tylko ustawia na poręczy krzesła dwa rządki landrynek. Okazało się, że on nie ma prażonej kukurydzy, więc postanowiliśmy się wymienić. Dał mi jeden rządek cukierków za pół kubka kukurydzy. Landrynki oblepiły mi palce, więc poprosiłem mamę o chusteczkę, a ona ku mojemu zdumieniu powiedziała:

– Och, nie płacz, kochanie. Wszystko dobrze się skończy. Zobaczysz.

Obiecałem, że nie będę płakał, i założyłem się z Dominikiem, który z nas szybciej wypije swój napój. Dominik był pierwszy, ale chyba trochę oszukiwał, bo część coli polała mu się po koszuli i spodniach. Właśnie miałem poprosić mamę, żebyśmy sobie już stąd poszli, gdy nagle rozbłysło światło i wszyscy zaczęli podnosić się z miejsc. Dominik zgubił mi się gdzieś w tłumie dzieci, które gnały do wyjścia. Mamusie szły wolno z tyłu i wzruszone wymieniały uwagi o filmie.

– Podobało ci się w kinie? – spytał tata, ledwo wróciliśmy do domu.

– Było super – przyznałem. – Nie wiem, o co chodziło z tym garbatym koniem, ale było fajnie. A byłoby jeszcze lepiej, gdyby nie gasili tych świateł. Po ciemku trudno się bawić i wymieniać kukurydzę na landrynki – dodałem.

No i niech mi ktoś powie, z czego tata tak się śmiał przez cały wieczór?

LUPA

Jak ja nie lubię się nudzić. A właśnie wczoraj był taki dzień, kiedy wszystko było do niczego. Za oknem padał deszcz, a ja nie miałem się z kim bawić. Wtedy tata zapytał:

– A może chcesz pooglądać znaczki, Tomeczku? Mam ich sporo. Zobacz, są piękne.

Znaczki to było coś. Na jednych były różne zwierzątka, na innych samochody lub kolorowe widoczki. A wszystko takie maciupkie! No, ale nie może być inaczej, jeśli ktoś chce zmieścić na skrawku papieru wielki zamek z ogrodem albo ogromną lokomotywę. Niestety każdy znaczek z drugiej strony był posmarowany klejem. Już po chwili na każdym palcu miałem przylepiony jeden kolorowy obrazek. Próbowałem je pomału odkleić, ale niektóre się darły. Zniszczyły się dwa, zanim miałem uwolnione palce. Nie żałowałem ich, bo wcale mi się nie podobały. Na pierwszym była czyjaś głowa, a na drugim brązowa ryba.

– Widzę, że podobają ci się znaczki. – Tata był wyraźnie zadowolony.

Ja też się cieszyłem, że zdążyłem wyrzucić te dwa podarte.

– Zobaczysz więcej szczegółów, jeśli będziesz oglądał je przez lupę. – To mówiąc, tata położył na stole okrągłe szkiełko w plastikowej oprawce.

To właśnie była lupa. Gdy spojrzałem przez nią na znaczek, oniemiałem. Wszystkie maleńkie domy, ulice, pola i lasy zrobiły się

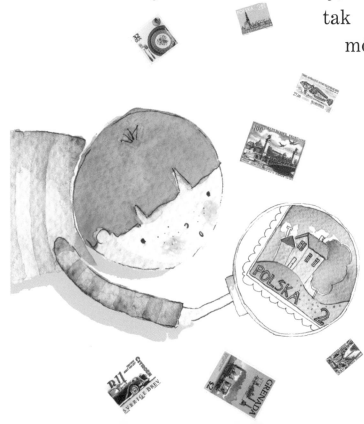

tak wielkie i wyraźne, że mógłbym policzyć liście na drzewach. Gdybym oczywiście umiał liczyć.

Patrząc przez lupę, obejrzałem jeszcze raz po kolei wszystkie znaczki. Wreszcie przez przypadek pod lupą znalazł się mój palec. Aż się przestraszyłem, taki był ogromny. Pozostałe palce wyglądały przy nim jak niteczki. Złapałem lupę i pobiegłem do okna. Tam na parapecie siedziała biedronka. Gdy oglądałem ją przez to okrągłe szkiełko, jej czarne kropki były duże jak guziki, a nogi grube jak frędzle. Wyjąłem z cukiernicy łyżeczkę i za jej pomocą próbowałem przewrócić biedronkę na plecki, żeby obejrzeć ją z drugiej strony. Ona jednak chyba miała tego dość, bo nagle wyciągnęła nie wiadomo skąd skrzydła i odleciała. Wtedy podszedłem do kontaktu. Tata często powtarzał, że w kontakcie jest prąd i że mam trzymać się od niego z daleka. Zawsze chciałem zoba-  czyć ten prąd. Kiedyś pół dnia wpatrywałem się w te dwa otworki w nadziei, że coś z nich wyjrzy. Jakaś główka czy łapka, no po prostu prąd. Ale nic nie wyjrzało. Dlatego teraz zajrzałem przez lupę. Dwie dziurki zmieniły się natychmiast w dwa wielkie tunele. Ale prądu ani śladu. Postanowiłem powiedzieć o tym tacie.

– Babciu, gdzie jest tata? Mam dla niego ważną wiadomość – powiedziałem do babci, która zawsze wiedziała, gdzie kto jest i co robi.

– Tomeczku, nie przeszkadzaj teraz tacie, on jest w swoim pokoju i pracuje. Pobaw się grzecznie, a porozmawiacie wieczorem. – Babcia uznała temat za zamknięty.

Jednak ona nie wiedziała, że taka wiadomość nie może czekać. Gdy więc tylko poszła do kuchni, ja na paluszkach przemknąłem do pokoju taty. Na stole leżały jak zwykle projekty, mapy i rysunki. Wszędzie pełno było ołówków i linijek. Nad stołem świeciła wielka lampa, a tata spał spokojnie w fotelu z otwartą książką na kolanach. Nawet bez lupy było widać, że jest zmęczony, więc postanowiłem go nie budzić. Za to skorzystałem z okazji i zajrzałem mu przez lupę do nosa. Czego tam nie było! Istny gąszcz krótkich,

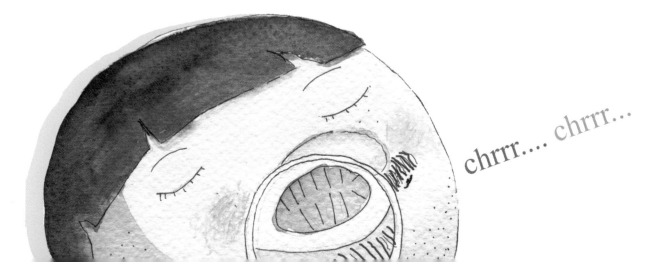

chrrr.... chrrr...

czarnych włosków. Właśnie sprawdzałem zawartość lewej dziurki gdy, usłyszałem głos babci:

– Tomek, zupa na stole. Gdzie ty się podziewasz?

Z żalem zostawiłem tatę i już po chwili siedziałem w kuchni z łyżką w jednej, a lupą w drugiej ręce. Zupa jarzynowa obejrzana przez lupę wyglądała jeszcze gorzej niż w rzeczywistości. Na szczęście na stole było trochę rozsypanego cukru i mogłem go sobie dokładnie pooglądać. Drobinki cukru przybrały rozmiary ziarenek grochu.

– Tomek, zupa! – przypomniała babcia.

Zanurzyłem łyżkę w zupie i pomyślałem, że wezmę lupę do przedszkola.

– Babciu, jutro Jacek pokaże nam dziurę po wyrwanym zębie, a dzięki lupie zobaczymy to bardzo dokładnie. Będzie super – ucieszyłem się.

– Na pewno – zgodziła się babcia, ale jakoś bez przekonania.

No cóż, tak jak podejrzewałem, dorośli nie mają pojęcia, do czego służy lupa.

KOSZULA W KRATKĘ

Jak ja lubię moją koszulę w kratkę. Dostałem ją w zeszłym roku od dziadka. Dziadek ma taką samą, tylko trochę większą, i jak obaj jesteśmy ubrani w te koszule, to wyglądamy jak koledzy. Nigdy jeszcze nie miałem tak fajnego ubrania. Moja koszula jest z mięciutkiego materiału, tylko pod szyją ma sztywny kołnierzyk. Wyglądam w niej jak dorosły, a w kieszonkach noszę różne moje skarby. Problem polega na tym, że mama chce, żebym czasem ubierał się w coś innego.

– Tomeczku – mówi – w twojej szafie jest dużo innych ubrań, nie możesz nosić ciągle tej koszuli. Wiem, że ją lubisz, ale ja muszę ją od czasu do czasu prać.

– Jest czysta – zaprotestowałem.

– Nieprawda. Zobacz, jakie ma przybrudzone mankiety. No i ta plama z soku. – Mama wskazała palcem na brzydki brązowy kleks.

Przytuliłem mięciutką zielono-czarną kratkę i postanowiłem:

– Trudno, skoro musisz ją wyprać, to przynajmniej odprowadzę ją do pralki. A czy możesz, mamusiu, wyprać tę koszulę razem z moją piżamą, bo zauważyłem, że one się lubią? – zapytałem.

Mama westchnęła, a potem wyjęła spod poduszki moją piżamę i poszliśmy do pralni. Tam przez szybkę w pralce widziałem, jak mo-

ja koszula kąpie się i pływa sobie w wodzie. Na koniec pralka zrobiła jej karuzelę i zielono-czarna kratka wirowała tak szybko, że nie można już było odróżnić kolorów. Wreszcie mama powiesiła koszulę na sznurku, a ja ciągle sprawdzałem, czy jest już sucha. Po południu, gdy babcia wygładziła wszystkie zmarszczki koszuli gorącym żelazkiem, miałem ją znowu na sobie. Czułem się tak, jakby mój dobry przyjaciel wrócił z podróży. Następnego dnia, gdy mama ubierała mnie do przedszkola, znowu próbowała nałożyć mi jakąś brzydką żółtą bluzę. Wyrwałem się w ostatniej chwili i szybko włożyłem moją koszulę w kratkę. Gdy ładowałem do kieszonek szklane kulki, magnesiki i zepsuty, ale pięknie błyszczący długopis, usłyszałem, jak mama skarżyła się w kuchni:

– Nie wiem, co go napadło. Niedługo będzie chciał spać w tej koszuli.

Muszę przyznać, że myślałem o tym od pewnego czasu. Zwłaszcza od chwili, gdy zobaczyłem w telewizji kowboja w równie pięknej koszuli jak moja. Jeździł w niej przez cały dzień na koniu, strzelał do rabusiów, ratował bardzo ładne panie, a potem spał przy ognisku obok swego konia. Następnego dnia w tej samej koszuli podpalił ranczo złego szeryfa. Więc czemu ja nie mógłbym spać w moim ulubionym ubraniu? Tylko że ja mam gorzej, bo muszę wytłumaczyć to mamie, a na filmie kowboj ani raz nie pytał mamy, w czym ma spać.

Chyba zostanę kowbojem – pomyślałem i w tej samej chwili usłyszałem głos mamy, która dalej rozmawiała z babcią:

– Jedyna pociecha w tym, że Tomek kiedyś z tej koszuli wyrośnie. Mam nadzieję, że już wkrótce.

Pogładziłem mięciutką, zielono-czarną kratkę i uśmiechnąłem się do siebie. Bo choć mama nic o tym nie wiedziała, ja miałem już gotowy plan na wypadek, gdy koszula zrobi się za mała. Wtedy ubiorę w nią mojego największego misia, a dziadka poproszę, by podarował mi swoją.

OKULARY

Jak ja lubię Kubę. Lubię go od wczoraj, bo dał mi ponosić swoje nowe okulary. Rano w szatni prawie go nie poznałem. W okularach wyglądał jakoś zupełnie inaczej niż zwykle. Gdy się rozbierał, mama ciągle go upominała, żeby na nie uważał i żeby ich nie zdejmował. Kuba kiwał głową, potem dał mamie całusa na pożegnanie, a gdy już wyszła, natychmiast zdjął okulary.

– Skąd je masz? – spytałem. – Są całkiem fajne.

– Okulary są głupie – wyjaśnił Kuba. – Ciągle mi spadają, czochrają włosy i okropnie się brudzą.

– To czemu musisz je nosić?

– Żeby lepiej widzieć – wyjaśnił niechętnie Kuba.

Założyłem jego okulary na nos i rozejrzałem się dokoła. Wszystko zrobiło się niewyraźne i zamazane. Nie mogłem odróżnić Kuby od wieszaków na ubranie.

Dlaczego jego mama każe mu to nosić? – zastanawiałem się.

Kiedy usiedliśmy do śniadania, ciągle miałem okulary na nosie. Po omacku znalazłem łyżkę i próbowałem jeść owsiankę. Niestety, nie zawsze trafiałem łyżką do buzi. Wtedy wszyscy już wiedzieli, że Kuba musi nosić okulary, przez które nic nie widać, i każdy chciał je choć na chwilę założyć. W końcu ktoś zerwał mi je z nosa i wreszcie zobaczyłem moją owsiankę. Okulary wędrowały z rąk do rąk. I tak trafiły do Ani, która jest najmniejszą dziewczynką w naszej grupie. Gdy je założyła, wyglądała, jakby patrzyła na nas zza jakiejś szyby. Na jej szczupłej buzi wydawały się ogromne. A kiedy pochyliła się nad talerzem, okulary z cichym pluskiem wylądowały w owsiance. Potem działo się wszystko naraz. Ania płakała, pani czyściła okulary, owsianki stygły, a wszyscy gadali,

śmiali się i broili. Kiedy wreszcie zapanował spokój, pani powiedziała:

– Kubusiu, załóż swoje okulary. A wy, dzieci, popatrzcie. Teraz to już nie jest Kubuś, ale Kuba, a nawet powiedziałabym: Jakub. Wasz kolega wygląda w tych okularach tak poważnie, jakby nie był przedszkolakiem, ale uczniem co najmniej drugiej klasy.

Na te słowa Kuba wyprężył się dumnie i po raz pierwszy tego dnia się uśmiechnął.

– Wygląda w nich trochę jak robot – szepnął Marek.

– No i takiego w okularach nie można tłuc ani popychać, bo jak mu się te szkiełka porozbijają, to potem jest awantura. Wiem, co mówię, bo u nas na podwórku jest jeden taki i nawet śnieżkami nie wolno w niego rzucać – dodał Bartek.

– Sami widzicie, że okulary przydają się w różnych sytuacjach. A przede wszystkim Kuba dużo lepiej przez nie widzi. Zastanawiam się, czy ja też nie powinnam sprawić sobie takich okularów. Wtedy wreszcie zobaczyłabym, kto w tej grupie najbardziej rozrabia – powiedziała pani z uśmiechem.

To chyba nie jest dobry pomysł – pomyślałem.

Kuba nie zdjął już okularów aż do czasu naszej poobiedniej drzemki. Wtedy delikatnie położył je na stoliku i zaczął grzebać  w swoim plecaczku. Po chwili wyjął z niego coś fantastycznego. Nieduże, plastikowe pudełko, które otwierało się i zamykało z przyjemnym trzaskiem. Na pudełku namalowani byli pędzący na koniach Indianie. Mieli pióropusze, wisiorki i łuki. Byli bardzo opaleni, a włosy przewiązali kolorowymi opaskami. Ich konie pędziły jak żywe.

Okazało się, że to cudowne pudełko służy do przechowywania okularów. Gdyby było moje, brałbym je do kąpieli, bo nadawało się świetnie na łódź podwodną. A dziewczyny mówiły, że zrobiłyby z niego piękne łóżeczko dla małych laleczek. Maciek raz spojrzał i już wiedział, że właśnie czegoś takiego potrzebował na naboje do kulkowca. Teraz już wszyscy zazdrościli Kubie okularów, pudełka i tego, że wygląda w nich jak Jakub. Niełatwo było zasnąć i zazdrościć jednocześnie, ale w końcu wszystkim się to udało. Nie wiem jak inni, ale ja miałem piękny sen. Śnił mi się Indianin o imieniu Tomasz, dziwnie do mnie podobny, który w ogromnych okularach galopował na koniu. Wszystko przed sobą widział zamazane, ale pędził jak wiatr. Najdziwniejsze było to, że jego wierny, indiański koń też miał na głowie okulary. A gdzieś z boku stała nasza pani, biła brawo i wołała:

– Wygląda zupełnie jak drugoklasista!

Tylko kogo ona miała na myśli: konia, Indianina czy mnie?

Tego się nie dowiedziałem, bo dorosłych nawet we śnie trudno jest zrozumieć.

OSA

Jak ja nie lubię os. Niby są malutkie i mają fajne paski, ale wszyscy się ich boją. Wczoraj jedna taka przyleciała do przedszkola. Właśnie jedliśmy obiad, gdy wpadła przez otwarte okno. Brzęczała tak głośno, że wszyscy przerwali jedzenie i obserwowali osę krążącą nad głowami.

– Jest wielka i wściekła. Zaraz kogoś ugryzie – powiedział Paweł. – A to okropnie boli – dodał.

Od razu powstało zamieszanie. Moi koledzy machali rękami, oganiając się od osy. Inni schowali się pod stół. Dziewczyny piszczały.

Na podłogę poleciały łyżki i widelce. Przewrócił się kubek i kompot różową plamą rozlał się na stole. Nasza pani myślała, że jak każe nam grzecznie usiąść, to jej posłuchamy. A osa latała szybko jak pocisk z kulkowca. W końcu chyba się zmęczyła. My też. Nikt nie wiedział, gdzie jest, więc ostrożnie wróciliśmy do stołu. Wtedy gruby Marek, największy łakomczuch w naszym przedszkolu, krzyknął:

– Ona zżera mój naleśnik!

Rzeczywiście osa siedziała na jego porcji naleśników z dżemem. Marek z jednej strony był dumny, że osa wybrała właśnie jego talerz, bo to tak, jakby trochę należała do niego. Ale z drugiej strony był zły, że wyjada mu dżem. Teraz, kiedy przestała krążyć, można było spokojnie ją obejrzeć. Miała ciałko w paski i była włochata. Wszyscy pochylili się nad talerzem Marka, żeby policzyć jej nogi.

– Ma siedem – stwierdził Kuba

– Coś ty?! – oburzył się Paweł. – Sam masz siedem. Ona ma dwanaście.

Moim zdaniem z jednego boku miała trzy, a z drugiego to nie wiem, bo nie mogłem się dopchać, żeby policzyć. Nagle osa podniosła głowę. Głowę na pewno miała tylko jedną. Spojrzała dokoła i zobaczyła, że wszyscy się na nią gapimy. Przy czym Marek z urazą z powodu dżemu, a Kuba przez swoje nowe okulary. Osa albo miała

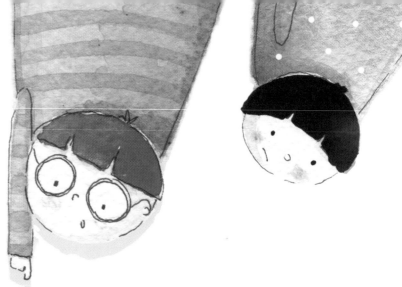

dość naleśników, albo nas. Bzyknęła i poderwała się do lotu, a my do ucieczki. Każdemu wydawało się, że osa leci właśnie za nim, więc wszyscy machali rękami, a Marek zdjął bluzę i wywijał nią w powietrzu. Dopiero po chwili Marta zauważyła, że osa siedzi na stole i wprost z różowej kałuży pije porzeczkowy kompot.

– Jaka ona ładna i pewnie mięciutka jak bazia albo dmuchawiec. – Marta wysunęła palec, jakby miała zamiar ją pogłaskać.

– No, rusz ją tylko, to zobaczysz, jak cię ugryzie. Palec ci spuchnie i będzie gruby. Gruby jak nie wiem co – ostrzegł Paweł.

Marta szybko cofnęła rękę, a osa brzęcząc głośno, poleciała w kierunku okna. Chwilę walczyła z firanką, aż w końcu znalazła szparkę i wydostała się na zewnątrz. Dopiero wtedy wróciliśmy do przerwanego obiadu. Pani starła rozlany kompot, przyniosła czyste łyżki i widelce, a Markowi dołożyła jednego naleśnika.

– Ta osa się na nas obraziła. Teraz namówi swoje koleżanki i przyleci tu cały rój. Pogryzą nas okropnie. Zobaczycie – powiedział Paweł.

– Osy nie umieją mówić – zauważył Kuba.

– A właśnie że mówią, tylko po osiemu – upierał się Paweł.

– A o co miała się obrazić? – zaciekawiłem się.

– Jak to o co? Wszyscy ją przeganiali. Marek żałował jej naleśnika, a Kuba powiedział, że ma siedem nóg – przypomniał Paweł.

Po obiedzie Marek starannie zamknął okno. I choć pani próbowała wmówić nam, że osy nie przylecą, to strasznie piszczeliśmy, gdy chciała je otworzyć. Zrezygnowała więc i okno pozostało zamknięte. A my cieszyliśmy się, że osy, tłukąc się o szyby, będą miały głupie miny. Wszystko to chciałem opowiedzieć mamie i nie mogłem się doczekać, kiedy przyjdzie po mnie do przedszkola. Mama jednak się spóźniała. Powoli wszyscy rozchodzili się do domów. Zostałem tylko ja. Kiedy mama wreszcie nadeszła, byłem zły.

– Gdzie byłaś tak długo, mamo? – zacząłem, ale mama nie dała mi dokończyć.

– Nic nie mów – poprosiła. – Miałam okropny dzień. Czekałeś długo, bo tramwaj uciekł mi sprzed nosa, a następny przyjechał spóźniony. Po drodze urwało się ucho w mojej torbie i wszystkie zakupy wysypały się na ulicę. No a w pracy też nie było lekko. Więc proszę, zbieraj się szybko i nie narzekaj, bo naprawdę jestem dzisiaj zła jak osa.

– Już jedną taką dzisiaj widziałem – mruknąłem i jakoś wcale nie byłem zdziwiony, że mama ma na sobie bluzkę w żółto-czarne paski.

– Kogo widziałeś? – spytała.

– No, taką twoją koleżankę. Siedziała na naleśniku i wyżerała dżem. A jak nas zobaczyła, to była taka zła jak ty teraz. Bluzki też miałyście podobne – wyjaśniłem.

Mama popatrzyła jakoś tak dziwnie, a potem złapała mnie za rękę i wyszliśmy z przedszkola. Gdy dotarliśmy na przystanek, nasz tramwaj właśnie odjechał. Mama postawiła zakupy na ławce, spojrzała na zegarek i mógłbym przysiąc, że bzyknęła ze złości. Zanim przyjedzie następny tramwaj, moglibyśmy pójść na lody – pomyślałem. Ale tego nie da się wytłumaczyć mamie, która zamieniła się w osę.

WINDA

Jak ja nie lubię, gdy ktoś mieszka tak wysoko, jak ciocia Agniesz-ka. Mamie to chyba nie przeszkadza, bo wybrała się do cioci z wizy-tą i zabrała mnie ze sobą. Gdy podjechaliśmy pod blok, mama, wska-zując gdzieś na szczyt potężnego wieżowca, powiedziała:

– Widzisz, tam wysoko, ten balkon z czerwonymi pelargoniami? To właśnie balkon Agnieszki.

Zobaczyłem chyba ze sto balkonów, a na każdym rosło coś, co mo-gło być pelargonią. Poza tym bolała mnie już szyja od zadzierania głowy, więc powiedziałem tylko:

– No, to fajnie.

Mama uśmiechnęła się i ruszyliśmy przed siebie. Nie mogłem złapać jej za rękę, bo niosła wielką donicę z drzewkiem szczęścia. Kupiliśmy je cioci w prezencie. Gdy weszliśmy do bloku, mama

zatrzymała się przed dziwnymi metalowymi drzwiami. Przycisnęła palcem czarny guziczek, a obok zaświeciła się czerwona lampka.

Nagle usłyszałem okropny łoskot, jakby coś spadało z góry. To dudnienie zbliżało się do nas. Byłem przerażony i zdziwiony, że mama stoi tak spokojnie, zamiast stąd uciekać.

– Kochanie, to winda. Nie musisz się obawiać. Zaraz zawiezie nas na dziesiąte piętro – wyjaśniła.

Wtedy metalowe drzwi otworzyły się z hukiem i zobaczyłem malutki pokoik. Był całkiem pusty, tylko na ścianie wisiało duże lustro. Gdy wszedłem do środka, podłoga dziwnie się zakołysała. Chciałem uciec, ale za mną wsiadła tęga pani z laską. Wypełniła sobą całe wejście i nie mogłem się już przecisnąć. A potem winda ruszyła do góry.

Poczułem, że coś dziwnego dzieje się w moim brzuchu. Z jakiegoś powodu żołądek podjechał mi aż do gardła. Dlatego, gdy winda zatrzymała się na drugim piętrze, wyskoczyłem z niej jak oparzony. Zaniepokojona mama wysiadła tuż za mną i spytała:

– Tomeczku, co się stało? Musimy jechać dalej. To dopiero drugie piętro, a ciocia mieszka na dziesiątym.

– Ja nie chcę! Cała ta winda się trzęsie. Jest okropna. A co będzie, jak spadnie? Nie chcę do windy! Nie chcę do cioci! Chcę do domu! – krzyczałem, odsuwając się jak najdalej od drzwi, które przypominały teraz jakieś straszne metalowe szczęki.

– No dobrze. Możemy pójść schodami, jeśli chcesz. Schody się nie trzęsą. Taka wspinaczka to będzie dobra gimnastyka. – Mama uśmiechnęła się zachęcająco.

Na schody mogłem się zgodzić. Lubię się gimnastykować, bo chcę być silny jak tata. Na szóstym piętrze zmieniłem zdanie. Zasapałem się i bolały mnie nogi. Spojrzałem na mamę z nadzieją, że może weźmie mnie na ręce. Szybko zrozumiałem, że nie mam na co liczyć. Mama taszczyła donicę z drzewkiem szczęścia i ciężko dyszała. Pomyślałem, że ze złości zaraz zje to drzewko albo mnie. Usiadłem na schodach i ze łzami w oczach szepnąłem:

– Chcę do windy.

Mama ciężkim krokiem podeszła do ściany z czarnym guziczkiem i czerwonym światełkiem.

– Zaraz przyjedzie – powiedziała uspokajająco, ale ja wcale nie byłem spokojny.

Znowu usłyszałem głuche dudnienie, jakby za ścianą sunął jakiś ogromny wąż. Zanim winda, trzeszcząc i sapiąc, zatrzymała się przed nami, miałem gotowy plan. Gdy zamigotała czerwona lampka i otworzyła się metalowa paszcza, powiedziałem:

– Jeśli nas nie pożresz, dam ci szklaną kulkę. Nie tę największą, białą, ale tę jasnoniebieską. Jest trochę mniejsza, ale też fajna.

Pokazałem windzie kulkę i wsiadłem. Podłoga zakołysała się pode mną, a winda syknęła jak prawdziwy wąż.

– No dobrze, dołożę dwie landrynki – obiecałem cichutko, gdy drzwi za mamą zatrzasnęły się, odcinając drogę ucieczki. Winda ruszyła, a razem z nią w górę powędrował mój żołądek. Jakieś niewidzialne palce pogrzebały mi w uszach. Podczas gdy mama, przeglądając się w lustrze, poprawiała sobie włosy, ja przykucnąłem w kąciku. Położyłem tam niebieską kulkę i dwa cukierki. Kulka pięknie zatańczyła, a winda-wąż, stękając i szurając brzuchem o ściany, zatrzymała się. Wyskoczyłem na korytarz i czekałem, aż mama wyniesie donicę z drzewkiem szczęścia. Wtedy zrobiło mi się żal kulki i miałem ochotę po nią sięgnąć, gdy nagle drzwi windy zatrzasnęły się tuż przed moim nosem. Wąż ruszył w dół. Zamrugało straszne czerwone oko. Przed oczami mignął mi czarny stalowy ogon.

– Tomek, pospiesz się! – zawołała mama, która z donicą w objęciach pukała do drzwi cioci.

Po chwili ciocia trzymała w objęciach mamę, a drzewko szczęścia ustawiono na balkonie. Ciocia Agnieszka ucieszyła się bardzo na nasz widok. Podała pyszny obiad i ciasto z owocami. Potem specjalnie dla mnie przyniosła do pokoju bujany fotel. Ale ja zupełnie straciłem dobry humor. Przez cały czas martwiłem się o to, w jaki sposób dostaniemy się z mamą na dół. Nie chciałem już za nic wsiadać do windy, a o schodach też wolałem nie myśleć. Z tego zmartwienia zasnąłem na bujanym fotelu i obudziłem się dopiero, gdy mama wynosiła mnie z samochodu przed naszym domem.

Do dziś nie wiem, jak mama pokonała ze mną te dziesięć pięter. Gdy ją o to spytałem, uśmiechnęła się tajemniczo i powiedziała:

– Ach, to nie był żaden problem. Po prostu drzewko szczęścia, które ciocia postawiła na balkonie, było zaczarowane. I podczas naszej

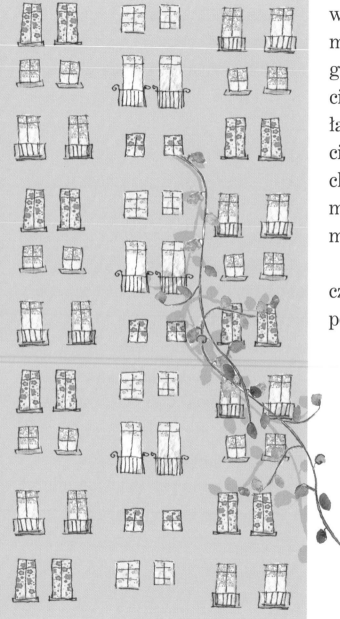

wizyty wypuściło długie do samej ziemi, pełne miękkich liści gałęzie. Gdy usnąłeś, wzięłam cię na ręce i bez trudu zsunęłam się po nich na sam dół. Ciocia Agnieszka do tej pory wychodzi w ten sposób ze swojego mieszkania. – Mówiąc to, mama puściła do mnie oczko.

No i niech mi ktoś powie, czy z tymi dorosłymi można poważnie rozmawiać?

 ŚWIĘTO

Jak ja lubię, kiedy w przedszkolu dzieje się coś niezwykłego. Tak jak wczoraj, kiedy pani z tajemniczą miną powiedziała:

– Teraz dziewczynki pobawią się grzecznie w tej sali, a chłopców poproszę na chwilkę do jadalni.

Na te słowa gruby Marek, największy łakomczuch w naszym przedszkolu, wyraźnie się ożywił:

– Super, na pewno dostaniemy jakiś specjalny deser. Coś czuję, że to mogą być lody.

– Ale czemu dziewczyny nie idą z nami? – zastanawiał się Bartek.

– To proste – wyjaśnił Marek. – Dziewczyny są okropne i nie zasłużyły na lody.

Okazało się jednak, że w jadalni nie czekał na nas żaden deser, pani chodziło o coś zupełnie innego.

– Chłopcy – powiedziała – jutro dziewczynki mają swoje święto. Chciałabym, żebyście przygotowali jakąś małą niespodziankę dla waszych koleżanek. Myślę, że będzie im miło, jeśli namalujecie dla nich obrazki i poczęstujecie je cukierkami.

I tak każdy z nas miał zrobić w domu jeden rysunek, a pani obiecała, że przyniesie słodycze.

A wszystko w tajemnicy przed dziewczynami.

Ja długo nie wiedziałem, co namalować. W końcu zdecydowałem się na smoka. Farby trochę mi się zlewały, ale i tak smok wyszedł duży i zielony. Tylko jakoś tak przez pomyłkę zrobiłem mu dwa ogony. Domalowałem więc jeszcze drugą głowę, trochę łap i ostatecznie miałem parę walczących, zielonych smoków. Zrobiłem im czerwone języory i żółte pazury. Moim zdaniem rysunek był piękny. Pokazałem go babci.

– Jaki ładny obrazek. Widzę, że się napracowałeś – pochwaliła. – Dobrze ci wyszedł ten krzaczek. A to czerwone i żółte to pewnie kwiatuszki?

– Jaki krzaczek?! Przecież to smoki! Specjalnie namalowałem je dla dziewczyn!

– Ach, tak. Mam nadzieję, że dziewczynkom się spodobają. – Babcia obejrzała mój obrazek jeszcze raz, tym razem do góry nogami.

– No pewnie. Smoki podobają się wszystkim – powiedziałem i byłem trochę zdziwiony, że babcia o tym nie wie.

Następnego dnia rano spotkałem w szatni Marka. Właśnie się rozbieraliśmy, gdy podeszła pani i dała nam po torebeczce cukierków.

– To dla waszych koleżanek. Ty, Tomku, dasz cukierki i rysunek Basi, a Marek obdaruje Justynkę.

Jeszcze nie zdążyłem zdjąć butów, a już torebeczka Marka była w połowie pusta. Za to w kieszeni szeleściły mu papierki po cukierkach.

– Ile zjadłeś? – spytałem.

Marek wzruszył ramionami i powiedział:

– Tylko trochę. Najlepsze są te w żółtych papierkach.

Zupełnie nie wiem, jak to się stało, ale po chwili w mojej paczuszce też brakowało kilku cukierków. Miałem je w buzi i musiałem zgodzić się z Markiem. Te w żółtych były najlepsze. Sięgając po następnego cukierka, mój kolega stwierdził:

– Po słodyczach się tyje. Mnie jest wszystko jedno, ale dlaczego Justyna ma być gruba? – A po chwili dodał: – Te w czerwonych też są niezłe.

Chciałem się przekonać, czy mówi prawdę, więc wyciągnąłem jednego.

– Mama mówiła, że od cukierków psują się zęby – przypomniałem sobie. – Lepiej, żeby Baśka się nimi nie objadała.

Kiedy wreszcie dołączyliśmy do naszej grupy, w paczuszkach niewiele nam zostało. Pani powiedziała coś miłego o święcie dziewczynek i poprosiła nas o wręczenie prezentów. Dziewczyny chichotały i przewracały oczami. Dałem Basi rysunek i resztkę cukierków, a potem szybko uciekłem i schowałem się w łazience. Tam spotkałem Marka, który wkładał do buzi ostatniego cukierka. Okazało się, że miał wyjątkowe szczęście, bo Justyna zachorowała i nie przyszła do przedszkola. Rozprawił się więc z jej cukierkami, a na koniec powiedział, że te w niebieskich były jednak najlepsze.

Kiedy wróciliśmy do sali, nasze rysunki wisiały na ścianie, a na podłodze leżało mnóstwo szeleszczących papierków. Dziewczynki razem z panią oglądały nasze prace. Gdy podszedłem bliżej, pani powiedziała:

– Tomku, twój obrazek bardzo mi się podoba.

Byłem dumny i bardzo z siebie zadowolony.

– Taki ładny bukiet – dodała pani. – Dużo zieleni i gdzieniegdzie kolorowe kwiatki. Widać, że się postarałeś.

Co takiego! Jak można pomylić walczące smoki z jakimś bukietem?! – pomyślałem rozzłoszczony.

– Wiesz, nasza pani zupełnie nie zna się na rysunkach – poskarżyłem się Markowi. – Nie odróżnia smoków od kwiatków.

– A ty się znasz? – spytał Marek.

– Pewnie, kilka moich obrazków rodzice nawet oprawili i powiesili w domu na ścianie – pochwaliłem się.

– To powiedz, podoba ci się mój rysunek? – Marek pokazał palcem obrazek, na którym było coś jakby drzewa. Dwa większe i kilka mniejszych. W każdym razie było tam dużo brązowego, zielonego i trochę niebieskiego.

– Ładny las – pochwaliłem.

A potem Marek nie odzywał się do mnie przez resztę dnia. Okazało się, że on namalował dla Justyny swoją rodzinę. Tylko skąd ja to miałem wiedzieć?

# TENISÓWKI

Jak ja nie lubię kupować butów. Takie auta wyścigowe czy roboty to co innego. Mogę je kupować codziennie, proszę bardzo. Chyba nawet rybkę do akwarium łatwiej sobie wybrać niż nowe buty. Zresztą ja bardzo lubię moje stare tenisówy, bo od chodzenia po kałużach i kopania piłki zrobiły się miękkie i wygodne. A o tej małej dziurce w podeszwie nikt nie wie. Niestety mama obejrzała je wczoraj bardzo dokładnie i powiedziała:

– Tomek, twoje tenisówki są już bardzo zniszczone i chyba za ciasne. Musimy kupić ci porządne buty.

A mama jak się na coś uprze, to nie ma rady. Dlatego po wyjściu z przedszkola poszliśmy do ogromnego sklepu z butami. Myślałem, że będzie nudno, ale zauważyłem, że pomiędzy regałami biega w skarpetkach jakiś chłopczyk. Od razu przyłączyłem się do niego i zostaliśmy kolegami. Było super. Niestety mama zaczaiła się za zakrętem i złapała mnie, gdy robiłem drugie okrążenie. Potem posadziła mnie na małym plastikowym krzesełku i przymierzała mi różne buty. Jedne z nich gniotły mnie w palce lub piętę, inne były za duże lub różowe. W całym sklepie nie było już chyba ani jednej pary butów, których bym nie przymierzył. Mama powoli traciła cierpliwość.

– Tomek, pomóż mi. Wepchnij mocniej nogę. Łatwiej byłoby wsadzić do tego buta ugotowany makaron niż twoją stopę.

Ja też traciłem już cierpliwość. Chciałem biegać w skarpetkach po mięciutkiej wykładzinie. Chciałem się bawić z moim kolegą. Ale mama narzekała dalej:

– Jak to jest, gdy włożyłam ci ten but na lewą nogę – pokazała jakiś okropny niebieski sandał – to twierdziłeś, że jest dobry. A gdy założyłam ci drugi na prawą nogę, to marudzisz, że cię gniecie. Czy ty masz stopy różnej wielkości?

Nie chciałem tych sandałów, nie chciałem dłużej siedzieć na krzesełku, nie chciałem mieć stóp. Chciałem bawić się jak mój kolega, który właśnie przebiegł obok nas. Na jednej nodze miał wielki czarny gumowiec, a na drugiej żółty but na wysokim obcasie. Jego mama pędziła za nim, trzymając pod pachą jakieś okropne lakierki.

Chociaż bardzo się starała, od razu było widać, że w tym pościgu nie ma szans. Pewnie dlatego była taka zła. Moja mama też dziwnie zmieniła się na twarzy, gdy powiedziałem:

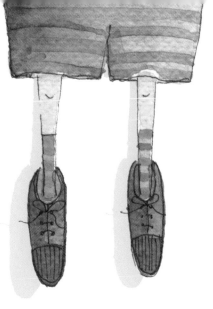

– Te mnie strasznie gniotą.

Dopiero po chwili zorientowałem się, że mama włożyła mi na nogi buty, które byłyby za duże chyba nawet na mojego tatę.

– Tomek, przestań, bo zaraz kupię ci pierwsze lepsze półbuty, jakie wpadną mi w ręce.

Przestraszyłem się. Jak to półbuty? A gdzie druga połowa? Jak ja będę w tym wyglądał? Spojrzałem zaniepokojony na otaczające nas półki. I wtedy je zobaczyłem. Czarne tenisówki z czerwono-żółtymi płomieniami po bokach. Te płomienie, choć namalowane, wyglądały jak prawdziwe. Musiałem je mieć. Mógłbym się nimi bawić, mógłbym nawet w nich spać.

– Chcę te! – Wyciągnąłem palec, wskazując na półkę, gdzie pięknie płonęły moje tenisówki.

Mama nerwowo zabębniła palcami o brzeg krzesełka.

– Do niczego nie będą ci pasować – stwierdziła.

– A właśnie że do wszystkiego. – Byłem gotowy walczyć o te teni-sówki jak lew. Jeszcze zanim włożyłem je na nogi, zawołałem: – Są na mnie dobre!

– Jak to? Chyba za duże. To nie twój rozmiar – upierała się mama. – A mniej-szych już nie ma – dodała.

– Ja wiem lepiej, są w sam raz. Z przodu mam trochę miejsca, ale to specjalnie na paznokcie. Bo teraz bar-dzo szybko mi rosną. Nie chcę innych butów. Tylko te.

Mama w końcu zrozumiała, że tenisówki z płomieniami są piękne, bo zapłaciła za nie, a ja w objęciach zaniosłem mój skarb do domu. Już od progu zawołałem:

– Babciu! Babciu, popatrz! Mam nowe tenisówy. Są super! Prawda?

– Tak. No, tak – powiedziała babcia i spojrzała jakoś dziwnie na mamę.

– Najważniejsze, żeby były wygodne – dodała i poskrobała paznok-ciem po płomieniach, jakby chciała sprawdzić, czy da się je zdrapać.

– Nie martw się, babciu. Mocno się trzymają – uspokoiłem ją. – A skoro tak ci się podobają, to możemy jutro kupić ci takie same. Bę-dziesz sobie mogła w nich chodzić do teatru – dodałem.

No i wiem, że trudno w to uwierzyć, ale babcia nie chciała.

ZŁY SEN

Jak ja nie lubię, gdy śni mi się ten pies. Jest duży, czarny i zły. Stoi na mojej drodze i warczy. Gdy unosi górną wargę, widać białe, ostre kły. Ale najgorsze są jego oczy, niespokojne, błyszczące. Śledzi nimi każdy mój ruch. We śnie na widok tego psa ogarnia mnie taki strach, że nie mogę uciekać ani wzywać pomocy. Mogę tylko płakać, więc robię, co mogę. Tej nocy znowu pies jak czarny cień pojawił się przede mną. Wydawał się większy i bardziej groźny niż zwykle. Przysłoniłem oczy ręką, żeby go nie widzieć, i głośno zapłakałem. Obudził mnie głos taty:

– Tomku, to tylko zły sen. Już dobrze, syneczku. Śnił ci się ten pies, prawda?

– Tak, to znowu on – chlipnąłem. – Tato, zostań ze mną. Jak będziesz blisko, to on nie wróci. Będzie się bał – poprosiłem.

– W porządku – tata uśmiechnął się i otulił mnie pierzyną.

Bałem się tego psa, więc pomyślałem, że najlepiej będzie, jak nie zmrużę już oka do rana. Ledwo tak postanowiłem, natychmiast zasnąłem. Pies też chyba zasnął, bo tej nocy nie pojawił się już w moim śnie. Nie dał jednak o sobie zapomnieć, bo cały czas słyszałem jego ponure warczenie. Co gorsza, słyszałem je również rano, gdy się już obudziłem. Dopiero po chwili dotarło do mnie, że ten okropny dźwięk wydaje z siebie mój tata. Okryty kocem, chrapał w fotelu tuż obok mojego łóżka.

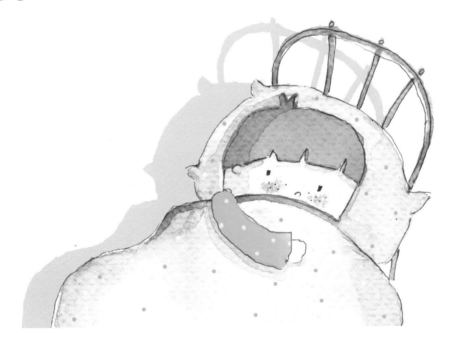

Nie do wiary, że można spać i jednocześnie tak strasznie hałasować – pomyślałem i cichutko wymknąłem się z pokoju.

W kuchni krzątała się mama. Zanim postawiła na stole śniadanie, opowiedziałem jej mój sen. Na koniec dodałem:

– Ten pies jest paskudny i nie wiem, czemu ciągle się mnie czepia.

– Wiesz, w tej sytuacji dziwię się, że nie poprosiłeś o pomoc Zmorka – mama pokręciła głową z niedowierzaniem.

– Kto to jest ten Zmorek? – spytałem zaskoczony.

– Och, Zmorek to taka dziwna postać. Najbardziej ze wszystkiego przypomina jamnika. Wielkiego, latającego jamnika. Z aksamitnymi skrzydłami, okrągłym brzuszkiem i wąskim pyszczkiem. Nie  jest piękny, ale bardzo pożyteczny. Zmorek zjada złe sny. Na zawołanie pożera je, jakby to był makaron. Wciąga koszmary i zjawy, nawet te najdłuższe i najstraszniejsze. Mlaska przy tym i niestety czasem mu się odbija, ale wtedy po złych snach nie ma już ani śladu. A Zmorek krótkimi łapkami gładzi brzuszek i już rozgląda się za następnym nieszczęśnikiem, którego męczą nocne zmory. Dlatego gdy następnym razem przyśni ci się ten okropny pies, to zawołaj: „Zmorku, tutaj!", a on nadleci w jednej chwili. Zje twój zły sen, jakby to było ciastko z kremem. Wiem, co mówię, bo sama też nie raz wzywałam Zmorka i nigdy nie zawiódł.

– Tobie, mamusiu, też śnił się czarny pies? – spytałem zdziwiony.

– No, niekoniecznie pies. Śniły mi się inne okropieństwa.

– Jakie? Jakie? – chciałem wiedzieć.

– Na przykład, że wygrałeś konkurs na najbardziej upartego chłopczyka na świecie. Albo że w twoim przedszkolu wydano zakaz gotowania zupy jarzynowej, a dzieci karmiono wyłącznie chipsami i czekoladą – wyliczała mama.

– Ale to nie są żadne koszmary! Sam chciałbym mieć takie piękne sny. Dziwię się, że Zmorek w ogóle chciał je zjeść! – zawołałem.

– Jemu tam wszystko jedno. Pożarł wszystko, co do okruszyny. Mlasnął jęzorem i odleciał.

Gdy mama powiedziała „mlasnął jęzorem", przyszła mi do głowy pewna piękna myśl.

– Mamo, czy ten Zmorek pojawia się tylko we śnie? Czy nie mógłby przylecieć choć raz do przedszkola? Gdybym zawołał: „Zmorku tutaj!" i pokazał mu Jolkę, dałby radę wciągnąć ją jak makaron? Bo ona ciągle pokazuje mi język, mlaska przy stole i chwali się, że już

dwa razy była w szpitalu. No, jak myślisz, Zmorek mógłby to zrobić dla mnie? – spytałem z nadzieją w głosie.

– Nie, na pewno nie. On może przyjść tylko we śnie. Zje złego, czarnego psa, ale Jolki nie tknie – wyjaśniła mama.

– A tak w ogóle, to dlaczego ja nie byłem jeszcze w szpitalu? – spytałem ze złością.

Mama, zamiast odpowiedzieć po ludzku, wzniosła oczy do nieba. A ja pomyślałem, że jeśli Zmorek nie może przylecieć do przedszkola, to trudno. Za to, jak kiedyś przyśni mi się Jolka, to go zawołam i Zmorek zrobi, co do niego należy. Fajnie jest mieć takiego kolegę. Dobrze, że mama mi o nim powiedziała. Teraz nie mogę się doczekać, kiedy znowu przyśni mi się ten czarny pies.

 FRYZJER

Jak ja nie lubię chodzić do fryzjera. Do tej pory włosy obcinała mi mama. Robiła to zawsze podczas kąpieli, gdy bawiłem się w wannie. Delikatnie rozczesywała mi włosy i od czasu do czasu słyszałem cichutkie klaśnięcie nożyczek. To nic nie bolało, a do wody wpadały mokre kosmyki, na które już czekała moja łódź podwodna. Aż tu nagle mama stwierdziła:

– Nie radzę sobie z tą twoją czupryną. Czas, żeby ostrzygła cię prawdziwa fry-zjerka.

– Czy ona przyjdzie do nas? – zapytałem.

– Nie, to my pójdziemy do salonu fryzjerskiego. Jest tam dużo luster, wygodne fotele, suszarki i pani, która pięknie przytnie ci włosy.

– A czy jest tam wanna? – chciałem wiedzieć.

– Nie, klienci nie siedzą w wannach, tylko na specjalnych fotelach. Zresztą sam zobaczysz – powiedziała mama.

No i zobaczyłem. Najpierw dookoła pełno było Tomków i mam. To my odbijaliśmy się w lustrach, które wisiały na wszystkich ścianach. Potem usiedliśmy na żółtej kanapie przy małym okrągłym stoliczku. Leżały tam dziwne gazety. Nie było w nich nic do czytania, a do oglądania tylko i wyłącznie głowy. Głowy różnych pań, które miały coś dziwnego porobione z włosami. Jedna miała niebieskie, cieniutkie warkoczyki. Tych warkoczyków było strasznie dużo i na dodatek były różnej długości. Inna za to nie miała włosów po bokach, tylko na środku głowy sterczało jej coś, jakby czerwony pióropusz. Ta fryzura była super. Była też pani, która miała na głowie ułożone z włosów wielkie gniazdo. Wystawały z niego kwiatuszki, gałązki i sztuczne ptaszki. Na ostatnim zdjęciu jakaś pani była tak okropnie rozczochrana, że loki zasłaniały jej prawie całą twarz. Widać było tylko jedno oko z zielonymi rzęsami. Trudno powiedzieć, czy ta pani była przed, czy po wizycie u fryzjera. Zastanawiałem się, czemu mama albo babcia nie noszą takich fryzur? Przecież one też czasem chodzą do fryzjera. Ale widocznie do jakiegoś innego. Potem zauważyłem, że obok gazet stoi talerz z cukierkami. Po obejrzeniu tej gazety zjedzenie trzech cukierków cytrynowych i trzech truskawkowych było po prostu konieczne. Miałem właśnie wypróbować miętowe, gdy nadeszła fryzjerka i powiedziała:

– Chodź, kochanie, zapraszam cię na fotel.

Byłem trochę zaskoczony, że ta pani się we mnie zakochała, ale w tej sytuacji nie wypadało marudzić. Mia-łem tylko nadzieję, że nie zrobi mi na głowie gniazda. Fryzjerka uśmiechnęła się uspokajająco i posadziła mnie na wygodnym fotelu. Potem okręciła mi wokół szyi jakieś ogromne białe prześcieradło, które sięgało prawie do podłogi. Wyglądało to tak, jakby ktoś położył moją głowę na pokrytym śniegiem pagórku. Poczułem się nieswojo. Na szczęście nikt nie widział, że pod tym prześcieradłem zaciskałem

ze strachu dłonie. Potem fryzjerka zmoczyła mi włosy i zaczęła je obcinać. Widziałem wszystko w wielkim lustrze wiszącym na ścianie. Zresztą nawet gdybym zamknął oczy, to słyszałbym trzaskające głośno wokół mojej głowy nożyczki. Wystarczyły dwa takie trzaśnięcia i grzywka, która zawsze przysłaniała mi brwi, sięgała już do połowy czoła. Po raz pierwszy zobaczyłem też tak wyraźnie moje uszy. Po chwili więcej włosów leżało na podłodze, niż zostało mi na głowie. Wyglądałem jakoś tak dziwnie, poważnie. Bardziej jak mój tata niż jak ja. Mama też przyglądała mi się lekko zaniepokojona.

– Podoba ci się, Tomeczku, prawda? – spytała niepewnie.

A ja pomyślałem, że chyba nieprędko wybiorę się do przedszkola.

Fryzjerka uznała, że nie ma już czego obcinać, i odłożyła nożyczki. Czesać też nie bardzo było co, więc złapała jakąś dziwną szczotkę i pozamiatała mi buzię. Potem zdjęła ze mnie prześcieradło i pomogła zejść z fotela.

– Jesteś moim najgrzeczniejszym małym klientem, kochanie – powiedziała z uśmiechem.

Stojąc po kostki we własnych ściętych włosach, pomyślałem, że ta fryzjerka może sobie mnie kochać ile chce, a ja i tak więcej tu nie przyjdę. Mama zapłaciła i szybko poprowadziła mnie do drzwi.

Dosłownie w ostatniej chwili zgarnąłem do kieszeni garść cukierków. Na ulicy dotknąłem ręką głowy i poczułem tylko króciutkie jak mech włoski.

– Mamo... – zacząłem.

– Wiem, wiem syneczku. – Mama pogłaskała mnie delikatnie po mchu na głowie. I choć trudno w to uwierzyć, ale nie musiałem już nic tłumaczyć.

Od tej chwili oboje wiedzieliśmy, że następnym razem włosy obetnie mi mama. Bo do tego konieczna jest kąpiel, wanna, no i oczywiście łódź podwodna.

STARSZY BRAT

Jak ja chciałbym mieć starszego brata. Mam co prawda starszą siostrę, ale to nie to samo. Starszy brat to dopiero jest coś i najlepiej, żeby był taki jak brat Jaśka. Jego brat ma na imię Sebastian, ale Jasiek może mówić na niego Seba. Seba zawsze nosi pod pachą deskorolkę i w każdej wolnej chwili jeździ na niej jak na hulajnodze. Jak przystało na deskorolkowca ma czapkę z daszkiem i spodnie, które w kroku jakoś dziwnie mu zwisają. Wygląda to tak, jakby pod nimi miał ogromną pieluchę. Myślę, że gdybym włożył spodnie taty, wyglądałbym bardzo podobnie. Seba codziennie odprowadza Jaśka do przedszkola. W szatni Jasiek musi radzić sobie sam, bo Seba nie wypuszcza z rąk swojej deskorolki. Poza tym cały czas dziwnie się wygina, trzęsie głową i przytupuje. A wszystko dlatego, że bez przerwy słucha muzyki. W uszach ma malutkie słuchawki, w których coś dudni, a on sobie podryguje do rytmu. Kiedy Jasiek jest już przebrany i gotowy, jego brat mówi:

– No to nara, młody – i na pożegnanie przybija mu piątkę.

Potem wstrząsany muzycznymi drgawkami wskakuje na deskę i odjeżdża. I to jest właśnie super. Długo nie wiedziałem, co to znaczy „nara", ale i tak mi się podobało. W końcu Jasiek wyjaśnił, że to skrót od „na razie". Podobno Seba zna więcej takich fajnych słów. Czasem jak rozmawia ze swoimi kolegami, to Jasiek w ogóle nie rozumie, o czym oni mówią. No i jak tu nie zazdrościć mu takiego brata? Zwłaszcza po południu, gdy mamy i babcie uwijają się w szatni, całują nas, przytulają i ubierają. Ze wszystkich stron słychać pytania: Jak było w przedszkolku, kochanie? Wszystko dobrze skarbie? Zjadłaś ładnie obiadek? Wyspałeś się syneczku? W co się dzisiaj bawiła moja wnusia? Dokoła sterczą małe nóżki, na które babcie wpychają buty, a mamy poprawiają rozczochrane grzywki

i dopinają kurtki. A tu nagle na deskorolce wjeżdża do szatni Seba i woła do Jaśka:

– No jak jest młody, spoko?

A Jasiek kiwa poważnie głową i powłócząc sznurowadłami, w rozpiętej kurtce biegnie za bratem. Nawet jeśli zapomni czapki albo pogubi rękawiczki, to i tak mu zazdroszczę. Próbowałem namówić babcię, żeby zamiast „Tomeczku" mówiła do mnie „młody", a na pożegnanie zamiast całusa przybijała piątkę, ale nie chciała o tym słyszeć. Gdy raz zamiast „pa, pa" powiedziałem moje ulubione „nara", babcia biegła za mną przez pół sali, żeby wyjaśnić, o co mi chodziło. Mamie też nie podobają się takie skróty. Kiedy wczoraj powiedziałem:

– Jest goro, chodźmy na lo – położyła mi rękę na czole i zapytała jak się czuję.

A taki starszy brat od razu by zrozumiał, że jest gorąco i chcę iść na lody. Powiedziałby:

– W porzo, młody – poszlibyśmy i byłoby super.

W końcu zrozumiałem, że nigdy nie namówię babci, żeby w obwisłych spodniach przyjechała na deskorolce po mnie do przedszkola.

Nie chciała też założyć słuchawek i podrygiwać w kącie szatni, czekając, aż się przebiorę.

W tej sytuacji poszedłem do taty.

– Tato, czy ja nie mógłbym mieć starszego brata, tak jak Jasiek? – spytałem z nadzieją w głosie.

– No, nie – powiedział tata wyraźnie zaskoczony.

Z doświadczenia wiedziałem, jak to z tatą jest. Nawet jeśli na początku na coś się nie zgadza, to wystarczy trochę go pomęczyć i poprosić, a gotów jest zmienić zdanie. Dlatego nie ustępowałem:

– Ale dlaczego nie? Byłoby przecież fajnie. Na świnkę morską też się nie chciałeś zgodzić, a potem ci się podobała. Wiem, że miała trochę dziwny zapach, ale starszego brata można by częściej kąpać i byłoby spoko.

– Tomek, taki starszy brat musiałby urodzić się co najmniej parę lat przed tobą. Teraz nie da się już nic zrobić. – Tata bezradnie rozłożył ręce.

– Skoro to miało być tak dawno temu, to może po prostu o nim zapomniałeś. Przecież ciągle o czymś zapominasz. Jesteś pewien, że nie mam jakiegoś brata? – nalegałem.

– No może jestem roztargniony, ale zauważyłbym, że mam dwóch synów – zaśmiał się tata. – A teraz, mój jedyny synu, pójdę do garażu i zobaczę, w jakim stanie są nasze rowery. Pogoda jest piękna, więc możemy wybrać się na lody. Co ty na to?

– Super – ucieszyłem się.

– No to nara – rzucił przez ramię tata.

A ja pomyślałem, że bywają takie rzadkie chwile, kiedy dorośli są spoko. A gdyby tacie jeszcze obwisły spodnie, to byłoby po prostu pięknie.

NIE MOJA WINA

Jak ja nie lubię, kiedy mama patrzy na mnie w taki dziwny sposób. Od tego spojrzenia robi mi się zimno i nie wiem, jak mam ją przekonać, że nie zrobiłem nic złego. Zresztą pewnych rzeczy nie da się wytłumaczyć dorosłym. Bo na przykład czy to moja wina, że Kuba położył swoje okulary na ławeczce w szatni? Położył je tam, bo twierdził, że buty są wystarczająco duże i widzi je nawet bez okularów. Chwilę potem ja usiadłem obok Kuby, a spod mojego siedzenia rozległ się cichy trzask. Zawstydziłem się trochę, bo pomyślałem... no wiecie co. Ale to nie było to. Tym razem był to odgłos miażdżonych okularów. Oprawka złamała się w kilku miejscach. Kuba był mi bardzo wdzięczny, bo przez te okulary nie mógł biegać i okładać się z chłopakami. Gdy zobaczył, co się stało, poklepał mnie po plecach

i uśmiechnął się od ucha do ucha. Jego mama wprost przeciwnie. Łapiąc się za głowę, zawołała:

– To już trzecie oprawki w tym miesiącu. – I pociągnęła Kubę do wyjścia, a on niedowidząc, złapał plecaczek Marty zamiast swojego i pobiegł za mamą.

I czy można do mnie mieć o to jakieś pretensje? Potem w tramwaju to też nie była moja wina, że usiadła koło nas największa pani, jaką w życiu widziałem. Ledwo mieściła się na swoim plastikowym krzesełku. Pomyślałem, że musi być bardzo silna, chyba nawet silniejsza od mojego niezwyciężonego wojownika. Trochę się bałem, że jak tramwaj przyhamuje, to ta pani się przechyli i nas przygniecie.

– Tomku, przestań tak natarczywie przyglądać się tej kobiecie – szepnęła mi do ucha mama.

– Mamo, ta pani jest wielka jak góra. Nawet Alibaba i czterdziestu rozbójników nie mieliby z nią szans. Co trzeba jeść, żeby być takim silnym? – spytałem, niestety chyba trochę za głośno, bo spod wyskubanych brwi spojrzały na mnie oczy bazyliszka.

Zwalista postać sapnęła ze złości, a mama zrobiła się czerwona jak wiśnia i pociągnęła mnie do wyjścia. Wysiedliśmy, chociaż to jeszcze nie był nasz przystanek. Do domu poszliśmy piechotą i przez całą drogę mama nie przestawała mówić. Zrozumiałem z tego tyle, że widząc taką wielką panią, powinienem natychmiast spojrzeć w okno lub zamknąć oczy. Broń Boże, nie wspominać nic o czterdziestu rozbójnikach i o wielkich górach. Postanowiłem, że teraz nawet gdyby do tramwaju wtoczył się niedźwiedź polarny, skasował bilet i usiadł mi na kolanach, to odwrócę się do okna i będę udawał, że go nie zauważyłem. W ogóle miałem zamiar spełniać wszystkie polecenia mamy, bo nie podobały mi się te jej spojrzenia, od których robiło się zimno. Dlatego gdy po powrocie do domu powiedziała:

– Tomku, umyj ręce i pobaw się w swoim pokoju – byłem gotów umyć nie tylko ręce, ale nawet nogi, głowę i uszy, a potem bawić się cichutko, aż do rana. Zwłaszcza że do zabawy miałem niezwyciężonego wojownika. Był wspaniały, najsilniejszy i najodważniejszy ze wszystkich moich zabawek. Miał wielkie mięśnie i był uzbrojony po same zęby. W dłoń wcisnąłem mu widelec, który bardzo przypominał dzidę. Na plecach miał łuk, pod pachą maczugę. Znalazłem dla niego jeszcze plastikowy nóż i pistolet, które powinien nosić za pasem. No i tu właśnie miałem problem, bo mój wojownik nie miał żadnego pasa. Przewiązywałem go różnymi tasiemkami i wstążkami, ale robiła się z nich raczej spódnica niż pas i mój siłacz zamieniał się w wielką baletnicę. Musiałem poszukać czegoś lepszego. No i znalazłem. W łazience na półce leżał zegarek mamy ze srebrną, błyszczącą bransoletką.

Udało mi się dwa razy owinąć nią niezwyciężonego wojownika i zapiąć z tyłu na malutką sprzączkę. Powstał z tego fantastyczny pas, za który wsunąłem plastikowy nóż i pistolet. Dodatkowo mój siłacz mógł w każdej chwili sprawdzić, która jest godzina. A musiało zrobić się późno, bo babcia wołała:

– Tomek, pospiesz się! Kolacja na stole.

Dla mnie oznaczało to koniec zabawy, ale mój dzielny wojownik wcale nie był zmęczony. Wymachiwał widelcem, a jego srebrny pas pięknie błyszczał. Pewnie się bał, że zaraz schowam go do szuflady, ale ja miałem dla niego niespodziankę.

– Już czas, żebyś poznał krainę wiecznych lodów – zdecydowałem, a mój siłacz aż przytupnął z zadowolenia.

Żeby mu było raźniej, wyjąłem z pudełka trzy pingwiny, a potem zaniosłem całe towarzystwo do zamrażarki. Pomiędzy kartonem  z lodami a paczką zmarzniętych pierogów zrobiłem im przytulną jamkę. Byłem pewien, że spędzą tam pełną przygód noc, a może nawet kilka dni. Niestety już następnego dnia rano mama zaczęła szukać swojego zegarka.

– Tomek, nie ruszałeś go? Na pewno? Pamiętam przecież, że zostawiłam go w łazience.

Nie było rady, wyjąłem z zamrażarki mojego wojownika. Gdy zdjąłem mu pas, wyglądał dużo gorzej. Ale nie miałem wyjścia, bo mama się uparła. Zresztą zupełnie niepotrzebnie, bo zegarek i tak nie chodził. Mój siłacz na pewno go nie zepsuł, ale możliwe, że majstrowały przy nim pingwiny.

I chociaż to nie ja nabroiłem w zamrażarce, i tak wszystko było na mnie, a pingwinom oczywiście się upiekło.

MAYUMI

Jak ja lubię rozmawiać w obcych językach. Wczoraj na przykład rozmawiałem po chińsku. A zaczęło się od tego, że siedziałem sobie w piaskownicy i kopałem piękny tunel. Byłem tak zajęty, że nawet nie zauważyłem, kiedy obok mnie zaczęła stawiać babki mała dziewczynka. Ustawiła ich już cały rządek, a ja byłem w połowie wykopu, gdy usłyszałem, że ona coś tam mruczy pod nosem. Najwyraźniej próbowała policzyć swoje babki, ale brzmiało to tak, jakby ktoś, kto się jąka, chciał wymówić wyraz „dżdżownica". Dopiero wtedy przyjrzałem się jej dokładnie. Ręce, nogi i buzię miała jakby lekko pozłocone. Włosy czarne, lśniące, równiutko przycięte. Ale najdziwniejsze były oczy, ciemne, lekko skośne. Powieki było widać tylko wtedy, gdy mrugała, potem chowały się gdzieś do środka. Gdy zauważyła, że się jej przyglądam, powiedziała coś po chińsku, co przypominało zgrzytanie łyżwy po lodzie. Potem zaśmiała się całkiem normalnie, po polsku, a do piaskownicy podeszły nasze mamy. Przez chwilę moja rozmawiała z chińską mamą po angielsku. W końcu zwróciła się do mnie:

– Tomeczku, to jest Mayumi. Mayumi jest Chinką. Niestety nie mówi po polsku. Bawcie się grzecznie.

Niby Chinka, a robi całkiem zwyczajne, polskie babki – pomyślałem i podjechałem koparką pod tunel. Budowałem właśnie umocnienia, gdy mała stopa w niebieskim sandałku zbliżyła się niepokojąco blisko do mojego wykopu.

– Odsuń się, bo mi wszystko zniszczysz – warknąłem, a Mayumi, uśmiechając się ślicznie, powiedziała coś, co zabrzmiało, jakby ktoś rozgniatał butem żwir.

Zrobiło mi się głupio, więc też się uśmiechnąłem i pokazałem palcem na jej nogę i mój tunel. Zrozumiała, cofnęła się trochę i lekko pochyliła głowę, jakby się kłaniała. Nie obrzuciła mnie piaskiem, nie pokazała języka, a z jej twarzy nie schodził uśmiech. Muszę przyznać, że spodobała mi się ta Chinka, a jeszcze bardziej jej łopatka. Bardzo by się przydała do pogłębiania dołka. Nie wiedziałem, jak jej to powiedzieć, żeby zrozumiała. Na próbę wykrztusiłem:

– Hrry ij dż yn.

Popatrzyła na mnie zdumiona.

– Wrr taj dżi – ciągnąłem dalej.

W końcu pokazałem na jej łopatkę i na niby pogrzebałem nią w piasku. Znowu zrozumiała, uśmiechnęła się, podała mi łopatkę i skinęła głową.

– Jaka to szkoda, że do naszego przedszkola nie chodzą same Chinki – westchnąłem.

Ale niedługo cieszyłem się łopatką, bo Mayumi pokazała paluszkiem na huśtawki i wydała z siebie odgłos przypominający serię wystrzałów z kulkowca. Było jasne, że chce się huśtać.

– Ja już chyba rozumiem po chińsku – stwierdziłem z radością i pobiegliśmy na huśtawki. Mayumi huśtała się normalnie, po polsku, ale i tak inne dzieci dziwnie się jej przyglądały. Za to na zjeżdżalnię nie chciała pójść, stanęła grzecznie z boku i patrzyła, jak ja zjeżdżam raz na plecach, a raz na brzuchu. Zachęcałem ją, żeby spróbowała, ale kręciła przecząco głową. Widocznie Chinki mogą się tylko huśtać. Postanowiłem zjechać jeszcze raz, dla odmiany głową w dół, gdy nagle usłyszałem miauknięcie. W pierwszej chwili myślałem, że to Mayumi coś do mnie mówi, ale nie, ona stała i też nasłuchiwała. Miauczał mały, rudy kotek, który kulił się pod krzakiem. Wskazując na rudzielca, powiedziałem głośno i wyraźnie:

– Kot.

Mayumi uśmiechnęła się, skinęła głową i powtórzyła za mną:

– Kot.

– Brawo, brawo – zawołałem i klasnąłem w dłonie, a Mayumi, podskakując na jednej nodze, powtarzała w kółko:

– Kot, kot, kot.

Nie do wiary, nauczyłem Chinkę polskiego – ucieszyłem się. Chyba zostanę nauczycielem – pomyślałem i, wskazując na zjeżdżalnię, powiedziałem powoli:

– Z j e ż d ż a l n i a.

Mayumi otworzyła szeroko oczy, spojrzała na mnie niepewnie i wykrztusiła:

– Zdżynia.

Zmieniłem plany, chyba nie będę nauczycielem. Wróciłem do piaskownicy, a Mayumi, powtarzając ciągle „kot, kot, kot", pobiegła do swojej chińskiej mamy. Po chwili przyszła po wiaderko i łopatkę. Otrzepała je dokładnie z piasku i stanęła niezdecydowana. Wreszcie, patrząc na mnie, powiedziała:

– Pa, pa.

– Pa, pa, Mayumi.

Nie było wyjścia, pożegnałem się z Chinką jak niemowlak, ale gdybym powiedział „Do widzenia", pewnie znowu zrobiłaby wielkie oczy. A tak to uśmiechnęła się ślicznie, skinęła główką i pobiegła do mamy. Bez niej w piaskownicy zrobiło się pusto i nudno. Mam nadzieję, że Mayumi przyjdzie jeszcze kiedyś do parku, bo fajnie nam się rozmawiało po chińsku.

KORZENIE

Jak ja nie lubię, kiedy mama nie ma dla mnie czasu. A dzisiaj nie miała ani chwili. Rano, ledwo zdążyłem wstać, okazało się, że tata jest chory i będzie musiał zostać w łóżku. A potem zadzwonił telefon i wezwano mamę do szpitala. Bo moja mama jest lekarką i jej pacjenci chorują, kiedy im się podoba, a nie wtedy, kiedy mama ma czas. Dlatego mama pobiegła do pracy, a ja zostałem z babcią i chorym tatą. Bardzo nie lubię, gdy ktoś w naszym domu choruje. Wtedy trudno tam wytrzymać. Przede wszystkim nie wolno hałasować, bo taki chory ciągle śpi i musi mieć spokój. Trzeba więc chodzić na paluszkach, nie grymasić i nie przeszkadzać. Wszyscy są bardzo poważni i w kółko każą mi myć ręce, żebym się nie zaraził. Spodziewałem się, że tym razem będzie tak samo i nie pomyliłem się. Babcia ledwo mnie zobaczyła, szepnęła:

– Tomeczku, tatuś zażył leki i zasnął. Baw się cichutko w swoim pokoju. Biedaczek – tu spojrzała ze współczuciem na drzwi sypialni – cierpi na zapalenie korzonków.

To ostatnie zdanie nie dawało mi spokoju. A więc to tak, tata ma korzonki i na dodatek niektóre się zapaliły. To rzeczywiście musi boleć. Ale skoro się palą, to trzeba je polać wodą i ugasić, a nie podawać jakieś tabletki. Byłem zdziwiony, że mama niby lekarz, a o tym nie wie. W jednej chwili wcisnąłem na głowę hełm strażaka, napełniłem konewkę wodą i wkroczyłem do pokoju taty.

Jeśli bawił się zapałkami, będę musiał z nim poważnie porozmawiać – pomyślałem i jak nieustraszony strażak ruszyłem do akcji. Żałowałem tylko, że nie mam pod ręką gaśnicy. Okrążyłem pokój dwa razy, ale korzeni ani śladu.

Domyśliłem się, że one muszą być pod łóżkiem. Wczołgałem się tam nie bez trudu, obszukałem wszystko dokładnie i nic. Znalazłem tylko piłeczkę tenisową, łyżeczkę do herbaty i nogę mojego robota. Z nogi ucieszyłem się najbardziej. Na wszelki wypadek pokropiłem podłogę pod łóżkiem wodą z konewki. Potem wylazłem i spojrzałem na tatę. Spał spokojnie, lekko pochrapując. Właśnie zastanawiałem się, czy powinienem go odkryć i polać wodą, czy wystarczy skropić pierzynę, gdy nagle mnie olśniło. Tata po prostu bał się pójść

do pracy i wymyślił sobie te podpalone korzonki. Tak podobno robią uczniowie, jeśli nie chcą iść do szkoły. Byłem z taty dumny, że udało mu się nabrać nawet mamę.

– Tato, tato – szarpnąłem go za ramię, a tata obudził się i wytrzeszczył na mnie oczy.

– Nie bój się – uspokoiłem go. – Wiem wszystko, ale nikomu nie powiem.

Tata przewrócił się na drugi bok, cicho przy tym pojękując.

– Dobra, dobra. Przy mnie nie musisz udawać. Przed chwilą byłem pod łóżkiem i wiem, że nie ma tam żadnych korzonków.

Tata patrzył to na mój hełm, to na konewkę i udawał, że niczego nie rozumie.

– Spokojnie, to będzie nasza tajemnica. A jak chcesz, to mogę ci pomieszać herbatę termometrem. Widziałem to w telewizji. Wskaże taką temperaturę, że mama z babcią będą ci robiły okłady – zaproponowałem i bardzo mi się podobało, że mogę tak tacie doradzać.

– Nie trzeba, synu. Chciałbym się tylko trochę przespać – poprosił tata słabym głosem.

– Jasne, leniuchuj sobie, ile chcesz. – Poklepałem lekko tatę i mrugnąłem do niego znacząco.

Tata przespał resztę dnia, a po południu mama zrobiła mu zastrzyk. Gdy zbliżała się ze strzykawką, to aż wstrzymałem oddech. Byłem pewien, że tata odrzuci pierzynę i wyskoczy z łóżka jak z pracy, wołając:

– Nabrałem was! Jestem zdrów jak ryba!

A on nic, dał sobie zrobić zastrzyk i nie wytargował przy okazji nawet lizaka czy gumy do żucia.

Ale zawzięcie udaje. Ciekawe, co takiego przeskrobał w tej pracy? Przecież nic nie może być gorsze od zastrzyków. Wiem coś o tym, bo byłem szczepiony.

Wszystko wyjaśniło się wieczorem, kiedy mama wreszcie znalazła dla mnie czas. Okazało się, że naprawdę istnieje choroba, która ma taką dziwaczną nazwę, a tata wcale nie udaje. Podobno za kilka dni poczuje się lepiej, a do tego czasu mam nie polewać go wodą i nie łazić pod jego łóżkiem. W przeciwnym razie tata rozchoruje się na dobre, a właściwie na złe. W sumie to nawet się ucieszyłem, że tata nie boi się chodzić do pracy. I nie mogłem się już doczekać, kiedy opowiem w przedszkolu, że mój tata ma podpalone korzonki. Wszyscy się zdziwią i będą mi zazdrościć. Na samą myśl o tym uśmiechnąłem się szeroko.

– A ty z czego się cieszysz? – spytała zdziwiona mama.

Bo inni rodzice nie chorują na takie spalone choroby, przy których nawet różyczka wysiada – pomyślałem, ale nic nie powiedziałem, bo tego nie da się wytłumaczyć dorosłym.

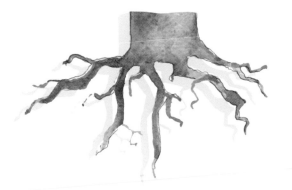

TATUAŻ

Jak ja lubię jeździć tramwajem. I wcale się nie upieram, żeby siedzieć koło okna. Często dużo ciekawsze rzeczy można zobaczyć w środku niż za szybą. Na przykład dzisiaj siedziałem sobie wygodnie u mamy na kolanach, gdy nagle z tłumu pasażerów wyłoniła się ręka i złapała za metalowy uchwyt tuż przed moim nosem. Inne ręce, nawet te z zegarkami i pierścionkami, nie mogły się z nią równać. Była wyjątkowa, bo ktoś wymalował sobie na niej pięknego smoka. Smok miał trzy głowy, wielkie skrzydła i mienił się kolorami. Ale najpiękniejszy miał ogon, który lekko się poruszał, gdy mężczyzna trzymający się poręczy napinał mięśnie. Zauważyłem, że mama kątem oka też ogląda smoka.

– Jest piękny, prawda? – spytałem. – Mamo, czy ja też... – Nie zdążyłem skończyć, gdy mama powiedziała:

– Nie, nie możesz.

– A czy ty albo tata.....

– Nie, nie chcemy mieć takich rysunków. – Mama znowu odpowiedziała, zanim zdążyłem zadać pytanie.

– Mamo, jak się ma taki obrazek, pewnie nie można się myć? Przecież woda może go zniszczyć – spytałem i pomyślałem, że to jest dodatkowy powód, dla którego warto go mieć.

– Woda nic mu nie zrobi, to jest tatuaż. Nie da się go usunąć, taki rysunek trzeba nosić już zawsze.

– To wspaniale! A czy ja mógłbym mieć na ręce takiego całkiem małego smoczka? Wystarczyłaby mu jedna głowa i dwa skrzydełka. Nazwałbym go Bobik i byłby moim najlepszym przyjacielem – zapewniłem.

– Narysuj sobie Bobika na kartce – poradziła mama, a ja pomyślałem, że dorośli pewnych rzeczy nigdy nie zrozumieją.

Wtedy ręka ze smokiem oderwała się od uchwytu i przez chwilę drapała głowę swojego właściciela. A ta głowa też nie była taka całkiem zwyczajna. Głównie z powodu włosów, bo one nie rosły normalnie jak u innych ludzi, tylko były zwinięte w różnej długości, brązowe rurki. Przypominało to trochę wielkie kosmate gąsienice albo owłosione parówki, które podrygiwały wokół głowy. Przejechałem ręką po mojej króciutkiej czuprynie i upewniłem się, że o takich rurkach na głowie mogę raczej zapomnieć. Mama, która bezbłędnie odgadywała, który fragment młodzieńca teraz podziwiam, powiedziała:

– To są dredy. Tak nazywa się ta fryzura.

– Ładnie się nazywa – przyznałem i postanowiłem zapamiętać tę nazwę. Może się przydać, kiedy włosy mi podrosną.

Podobał mi się rysunek na ręce i rurki na głowie, ale chyba nie chciałbym mieć takiego kółka w nosie jak ten pan. Po co mu to? – głowiłem się. – Co na takim kółku można zawiesić? Może jakiś malutki kluczyk od skrzynki na listy? – zgadywałem. Ale widząc, że uszy ma ozdobione niezliczoną ilością identycznych kółeczek, doszedłem do wniosku, że to jedno mu zostało. Nie mieściło się już w uchu, a żal było je wyrzucić, więc ozdobił nim nos. Mama na widok tego kółka wzniosła oczy do nieba.

Za to dziewczyna, z którą ten pan rozmawiał, mrugała szybko niebieskimi rzęsami i chichotała radośnie. Ona dla odmiany w ogóle nie miała włosów, a na nogach pomimo upału nosiła wysokie wojskowe buty. Czarne i sznurowane. Za to na brzuchu coś jej ślicznie

błyszczało. Różowa, króciutka bluzeczka nie zakrywała jej pępka, a w nim tkwił mały klejnocik. Nie wiadomo, jak się tam trzymał, bo nie wypadł nawet, jak się schyliła.

– Jest tam dobrze umocowany. Ta pani ma po prostu przebity pępek – wyjaśniła mama, podążając za moim wzrokiem.

Z przerażeniem chwyciłem się za brzuch.

– A po co tej pani takie świecidełko w tym miejscu? – Nie mogłem pojąć.

Wtedy młodzieniec szepnął dziewczynie coś do ozdobionego piórkami ucha i wybuchnęli śmiechem. Przez moment w ich otwartych ustach również coś błysnęło. Okazało się, że oboje mają na językach małe srebrne kuleczki. Mama zauważyła je również.

– Języki też mają przebite – szepnęła, a ja odruchowo mocno przycisnąłem swój język do podniebienia.

Gdybym miał na języku taką kulkę, to liżąc lody robiłbym ładne rowki – pomyślałem. Nie zdążyłem się nad tym głębiej zastanowić, gdy młoda kobieta w różowej bluzeczce, która pewnie skurczyła się jej w praniu, przytrzymała się metalowej rurki. Widok jej paznokci zaparł mi dech w piersiach. Były chyba dłuższe od palców, jasnoniebieskie, a na każdym dostrzegłem po trzy czarne gwiazdki. Mając takie paznokcie, nie da się chyba przykręcać śrubek ani lepić z plasteliny. Nie wyobrażam też sobie, jak ta pani może nosić rękawiczki. Muszę przyznać, że ta para nawet jak na dorosłych wyglądała dziwnie.

– Cieszę się, mamusiu, że nie jesteś łysa, masz pusty pępek i możesz przykręcać śrubki – szepnąłem mamie do ucha bez piórek.

Mama uśmiechnęła się do mnie i to był ten rzadki przypadek, kiedy oboje byliśmy tego samego zdania.

SPACER

Jak ja lubię spacery. Zwłaszcza te prawdziwe, gdy mama nigdzie się nie spieszy. Idziemy sobie wtedy za rękę przez miasto i wszystko może się zdarzyć. Mogę jeździć autkiem po murkach albo zbierać kamyki. Mogę też, przytrzymując się mamy, iść przed siebie z zamkniętymi oczami. Ale tylko przez chwilę, bo tyle jest rzeczy dokoła, które trzeba zobaczyć. Czasem w jakimś zakamarku trafi się fajny kot albo stadko wróbli pokłóci się o kawałek bułki. A wczoraj na przykład spotkałem konia. Był czarny jak smoła i nazywał się Barnaba. Tak powiedział jego właściciel – dorożkarz. Barnaba musiał ciągnąć dorożkę, gdy komuś przyszło do głowy przejechać się nią po Starym Mieście. Na szczęście wszyscy woleli chodzić na własnych nogach, więc Barnaba mógł odpocząć. Dorożkarz zawiesił mu na głowie worek z owsem i koń wcinał bez pośpiechu. Obserwując go, pomyślałem, że taki worek z jedzeniem to genialny pomysł. Gdyby mama uszyła mi coś podobnego, nosiłbym go na głowie przez cały dzień. W środku miałbym chipsy, krówki i żelki. Wystarczyłoby pochylić głowę, żeby coś przekąsić. A ręce cały czas byłyby wolne i gotowe do zabawy. No i jedzenie by się nie rozsypywało.

Nawet kanapki

przy tym wysiadają. Podszedłem do Barnaby, który powoli mełł ziarno w pysku.

– Smacznego – powiedziałem i mógłbym przysiąc, że z głębi worka usłyszałem:

– Dziękuję.

Wcale mnie to nie zdziwiło, bo zawsze wiedziałem, że konie są mądre i dobrze wychowane.

– Tomek, skoro porozmawiałeś już sobie z koniem, to teraz zapraszam cię na lody – powiedziała mama.

W jednej chwili zapomniałem o worku z owsem, Barnabie i dobrym wychowaniu. Wrzeszcząc: „Hurra!!" i skacząc na jednej nodze, okrążyłem najbliższą latarnię.

– Ale o smaku kaktusa i na patyku, bo na patyku są najlepsze – nalegałem.

Mama zgodziła się, ale niechętnie.

– Z tymi lodami na patyku zawsze są kłopoty – narzekała.

– Nieprawda. Nie widziałaś, mamo, jak ja sobie świetnie radzę z kaktusowymi.

Ledwo to powiedziałem, lód zsunął się z patyczka i na ulicy zamienił się w zielonego kleksa.

W buzi został mi jego smak, w ręce patyczek, a na kurtce i spodniach brzydkie, lepkie plamy.

– No, to właśnie zobaczyłam – stwierdziła mama, próbując oczyścić mi ubranie chusteczką.

Wiedziałem, że w tej sytuacji o następnej porcji kaktusowych mogę już zapomnieć. Zastanawiałem się właśnie, czy lepiej poprosić o pączka, czy o precelka, gdy dostrzegłem coś dziwnego na dachu pobliskiej kamienicy. Poruszała się tam jakaś czarna postać. Od razu pomyślałem, że to może być Zorro.

– Mamo, popatrz tam wysoko. Widzisz go? To chyba Zorro, a jeśli to on, to czarny Barnaba na pewno jest jego koniem. Zorro zaraz wskoczy mu na grzbiet i popędzą galopem. Po drodze może wytnie ci szablą piękne „Z" na brzuchu – rozmarzyłem się.

– Niestety, Tomeczku, na dachu jest kominiarz. Sprawdza kominy i raczej nie będzie mi nic wycinał na brzuchu
– powiedziała mama.

Gdy lepiej się przyjrzałem, musiałem przyznać jej rację. Po dachu kamienicy chodził kominiarz i patrzył sobie na wszystko z góry. Od czasu do czasu zaglądał do jakiegoś komina lub pisał coś w grubym notesie. Wtedy zrozumiałem, że będę kominiarzem.

– Mamo, ja też będę chodził po dachach jak nasz kot Mruk, a z daleka będę wyglądał jak Zorro. Policzę wszystkie kominy i zarobię dużo pieniędzy. A wiesz, mamo, co jest najfajniejsze w kominiarzu? To, że nigdy nie musi się martwić, że się pobrudzi. Tego najbardziej mu zazdroszczę. Nawet gdyby wytarzał się w kałuży, nie miałoby to większego znaczenia. Bo on i tak zawsze jest cały czarny i umorusany.

– Och! Tomeczku, jeśli o to chodzi, to często mam wrażenie, że ty już jesteś kominiarzem. – Mama popatrzyła znacząco na moje poplamione ubranie.

Potem złapała mnie za lepką od lodów rękę i pociągnęła na najbliższą ławkę. Tam rozsiadła się wygodnie i wystawiła twarz do słońca. A ja wdrapałem się mamie na kolana i mocno ją przytuliłem. Mrużąc oczy przed słońcem, pomyślałem sobie, że fajnie jest być koniem i mieć worek przysmaków zawieszony na głowie, fajnie jest być kominiarzem i spacerować po dachach, ale najfajniej jest być Tomkiem i siedzieć w parku na kolanach mamy.

 # ZĘBY

Jak ja nie lubię, kiedy mama mi przypomina: „Tomek, umyj zęby". Nie lubię myć zębów i tyle. Pasta niby ładnie pachnie i jest zielona, ale trochę szczypie w język. A poza tym tak się dziwnie składa, że jak muszę myć zęby, to albo jestem jeszcze śpiący, bo jest rano, albo już śpiący, bo jest wieczór.

– Tato, a po co mi w ogóle zęby? – zapytałem, żeby odwlec trochę moment pójścia do łazienki.

– Jak to po co? – zdziwił się tata. – Żebyś mógł pogryźć na przykład twoje ulubione frytki.

– Ale ja od frytek wolę lody, a do lodów nie trzeba mieć zębów, wystarczy język. Lody mógłbym jeść od rana do wieczora, bo one mają tyle smaków, że nigdy by mi się nie znudziły. Nawet teraz zjadłbym chętnie waniliowego – rozmarzyłem się. A tata znowu swoje.

– Tomek, jest późno. Idź umyć zęby.

– No, ale po co? Na kolację jadłem zupę mleczną, a mleko jest białe, więc zęby nie mogły się pobrudzić. – Byłem gotów upierać się przy swoim choćby do rana.

– Jeśli ktoś nie myje zębów, to oblepione resztkami jedzenia stają się brudne i brzydkie. Wkrótce pojawiają się w nich dziury i zęby zaczynają boleć – straszył tata.

– A znasz kogoś, kto nie myje zębów? – spytałem podchwytliwie.

– Nie – przyznał.

– No to skąd wiesz, że jak się ich nie myje, to robią się dziury? W ogóle skąd dorośli wiedzą, że będzie tak, a nie inaczej? Nigdy cię, tato, nie kusi, żeby samemu sprawdzić, jak będzie? – spytałem.

– Bo ja sprawdzam – dodałem z dumą.

– A teraz popatrz na moje zęby i powiedz, czy wszystko z nimi w porządku – poprosiłem i wyszczerzyłem się najmocniej, jak umiałem.

– Cóż, myślę, że tak. Żadnego nie brakuje i dziur też nie widzę. A o co chodzi?

– No widzisz, a ja od tygodnia myję tylko te na górze. Tych z dołu nie ruszam. Wojtek robi odwrotnie, myje tylko te dolne. Chcieliśmy sprawdzić, czy zęby nam powypadają, a tu nic się nie dzieje. Na dodatek nikt nic nie zauważył. – Byłem z siebie bardzo zadowolony.

– Na razie nic się nie stało, ale jestem pewien, że bakterie na tych niemytych zębach robią swoje. Skąd w ogóle przyszedł wam do głowy taki pomysł? – dziwił się tata.

– Bo lwy i tygrysy też nie myją zębów i nikt się ich nie czepia.

– Lwy i tygrysy nie jedzą batonów i cukierków. – Tata spojrzał znacząco na stosik papierków po moich ulubionych krówkach. – Tomku, idź już wreszcie do łazienki i koniecznie umyj te zęby na dole.

– Tato, a nie mógłbym mieć takich zębów wyjmowanych? – spytałem, ciesząc się, że rozmowa tak pięknie się przeciąga.

– Jak to wyjmowanych?

– No, bo dziadek Filipa ma takie zęby i wcale nie musi ich myć. One same kąpią się w szklance z wodą. Filip kiedyś przyniósł je do przedszkola i straszył nimi dziewczyny, ale dziadek podobno bardzo się złościł, bo bez tych zębów nie mógł nic zjeść. Na dodatek jeden ząb odleciał i Maciek wziął go sobie na pamiątkę. A te zęby były na zawiasach i mówię ci, jak one fajnie kłapały. Też chciałbym mieć takie – westchnąłem.

– To była pewnie sztuczna szczęka. Być może na starość będziesz miał taką, a teraz idź umyć to, czego jeszcze nie zniszczyły ci bakterie. – Tata okazywał już lekkie zniecierpliwienie.

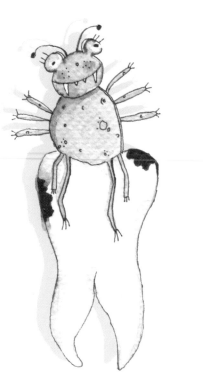

– Tato, a jak wygląda taka bakteria? – ciągnąłem temat, choć wiedziałem, że to już długo nie potrwa. – Jak ja je wszystkie wypluję z buzi do umywalki, to czy im nie będzie przykro? Może te bakterie się do mnie przywiązały? A czy one umieją pływać? Czy sobie poradzą? Czy ta zielona pasta nie szczypie ich w ciałko? A czy bakterie mają zęby? I czy na tych zębach siedzą jeszcze mniejsze bakterie? – Mógłbym tak pytać jeszcze długo, ale tata, nic już nie tłumacząc, wziął mnie za rękę i zaprowadził do łazienki. Usiadł na wannie i przypilnował, żebym dokładnie umył zęby, niestety te na dole też. Ta okropna pasta wyszczypała mi język i w buzi zrobiło się czysto jak u babci w zmywarce. Z zazdrością spojrzałem na kota Mruka, który właśnie wyszedł z szafy. Ten to musi mieć bakterii – pomyślałem z uznaniem. Nie mył zębów, odkąd go znam. Koty pewnie wiedzą, że tak naprawdę zęby są nam potrzebne tylko do rozgryzania landrynek i przerywania nitek, jeśli w pobliżu nie ma nożyczek. Ale tego, niestety, nie da się wytłumaczyć dorosłym.

 ŚLIMAKI

Jak ja lubię ślimaki. Zwłaszcza te duże, szare z pięknymi muszlami na grzbiecie. To są winniczki. Dwa takie spotkałem w naszym ogrodzie. Większy z nich obgryzał kwiatki, które mama posadziła kilka dni wcześniej. To, że listki i płatki przypominały teraz sito, to jego wina. Był to więc prawdziwy winniczek. Ale drugi był raczej niewinny, bo siedział w trawie i nic nie robił. Wziąłem do domu oba i wsadziłem do dużego szklanego pojemnika. Wrzuciłem tam trochę

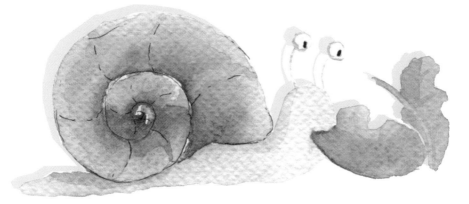

trawy i parę listków sałaty. W rogu postawiłem spodeczek z wodą. Wydawało mi się, że wszystko zrobiłem jak trzeba, więc ślimaki powinny być mi wdzięczne i szczęśliwe. A one nic. Jeden, ten postrach grządek, zabrał się za liść sałaty, a drugi wlazł do muszli i tyle go widziałem.

– Hej, co z wami? – zapukałem palcem w szybkę. – Będę was hodował, nie cieszycie się?

W odpowiedzi ten większy zostawił sałatę i też schował się w muszli.

Nie będzie łatwo – pomyślałem. No bo niby jak poznać, czy ślimaki się cieszą? Przecież nie machają ogonami, nie skaczą, nie mruczą, gdy są zadowolone. Ciekawe, jak one urządziły się w tych swoich muszlach? Mają tam jeden czy dwa pokoje? Czy dlatego chodzą tak powoli, żeby im w domkach różne rzeczy z półek nie pospadały?

Te pytania nie dawały mi spokoju. Postanowiłem porozmawiać o tym z chłopakami. Okazało się, że Marek też hoduje ślimaki, ma cztery w słoiku po ogórkach, a Kuba powiedział, że on ma pełno ślimaków w swoim ogrodzie i że one hodują się tam same.

– A czy twoje ślimaki są smutne? – spytałem Marka. – Bo moje wyglądają tak jakoś poważnie.

– Czy ja wiem? – zawahał się Marek. – No, żeby śpiewały czy tań-czyły, to nie widziałem. Siedzą w tym słoiku i tyle. Może i są smut-ne, kto je tam wie?

– Nie znacie się w ogóle na ślimakach – powiedział Kuba z miną znawcy. – One się po prostu nudzą. Najlepiej będzie, jak pozbieram kilka najładniejszych okazów w moim ogrodzie, Marek weźmie swo-je w słoiku i przyjdziemy do Tomka. Zapoznamy je ze sobą i zrobi-my im przyjęcie. Takie z sałatą, mleczami i koniczyną. Zobaczycie, jak im się miny poprawią.

– To jest myśl – zapalił się do pomysłu Marek. – Ślimaki będą so-bie szalały, a my skoczymy do kuchni, bo to będzie dobry moment, żeby coś zjeść.

Dla Marka każdy moment jest na to dobry. Tak więc pomysł Ku-by spodobał się wszystkim i po południu moje ślimaki miały gości. Kuba przyniósł pięć dorodnych winniczków. Właśnie miał je wpuścić do mojej pary, gdy coś go zaniepokoiło:

– Zaraz, zaraz. A jak ja potem poznam, które są moje? One wszystkie są strasznie podobne.

– Zawołasz po prostu: „Hej ślimaki, koniec imprezy! Zbierać się, wychodzimy". I te twoje pobiegną do drzwi – kpił sobie Marek, któ-ry miał ślimaki o wiele mniejsze, brązowe z żółtymi muszelkami.

– Bardzo śmieszne – mruknął Kuba i zaraz dodał: – Daj flamastry.

Od razu wiedziałem, o co mu chodzi. Ja narysowałem moim winniczkom na muszelkach żółte, a Kuba czerwone kropki. Tak oznaczone ślimaki mogły się wreszcie zapoznać i powygłupiać. Daliśmy im czas do wieczora, żeby się trochę rozerwały i najadły. My jedliśmy i rozrywaliśmy się w kuchni, a potem w ogrodzie. Wieczorem chłopcy zabrali swoje ślimaki i poszli do domu. Moje dwa z żółtymi kropkami znowu zostały same. Odsunęły się od siebie jak najdalej i udawały, że się nie znają.

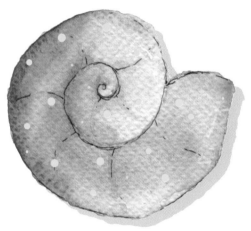

One się chyba nie lubią – pomyślałem. – Może jeden z nich to taka Jolka, co pokazuje wszystkim język i mlaska przy jedzeniu? Tak, ten, który wygląda spod liścia, wydaje się nawet trochę do Jolki podobny – stwierdziłem i uśmiechnąłem się złośliwie.

Rano, ledwo wstałem, zapukałem w szybkę i zawołałem:

– Cześć, ślimaki! To ja, Tomek. Co u was słychać?

Nic nie było słychać, bo pojemnik był pusty. Ślimaki uciekły. Wybrały najkrótszą drogę do ogrodu, wprost przez otwarte okno. Szukałem ich potem w trawie i na grządkach, ale przepadły bez śladu. Jeśli ktoś spotka dwa winniczki z żółtymi kropkami na muszlach, to będą te moje. Trochę za nimi tęsknię. Chciałbym, żeby wróciły, ale tego nie da się wytłumaczyć ślimakom.

NARTY

Jak ja lubię jeździć na nartach. Właściwie to na razie potrafię na nich tylko stać, ale myślę, że jeżdżenie jest równie przyjemne. Na nartach mógłbym stać godzinami, bo są bardzo ładne, czerwone w czarne zygzaki. Gorzej, że do nart przyczepione są buty – wielkie, ciężkie i bardzo twarde. Gdy zobaczyłem je po raz pierwszy, nie mogłem uwierzyć, że tata kupił je dla mnie. Dopiero na stoku przekonałem się, że wszyscy mają coś takiego na nogach. Jestem pewien, że moje czarne tenisówy z płomieniami byłyby o wiele wygodniejsze, ale tacie nie da się tego wytłumaczyć. W ogóle tata na stoku zachowywał się bardzo dziwnie. Stałem sobie spokojnie na szczycie i od dłuższej chwili patrzyłem, jak wszyscy wkoło się wywracają, gdy tata powiedział:

– No, Tomek, spróbuj zjechać kawałek. To proste – i lekko mnie popchnął.

Moje nogi w ogromnych butach, przyczepione do nart, odjechały. Reszta ciała zamachała rozpaczliwie kijkami i runęła na ziemię. Tata podjechał do mnie, pomógł mi wstać i otrzepał mnie ze śniegu.

– Tomek, nie tak. Przecież ci tłumaczyłem, jak to się robi. Skup się teraz i popatrz, jak jeździ mistrz.

Trudno w to uwierzyć, ale tata miał na myśli siebie. Odepchnął się kijkami i ruszył. Biorąc pod uwagę, że była to mała górka, po której jeździły głównie dzieci, to rzeczywiście był najlepszy. Na dole miał właśnie zamiar wykonać efektowny skręt, gdy zderzył się z innym tatusiem. Nie słyszałem, o czym rozmawiali, ale obaj machali kijkami, rękami i rękawicami. Gdy tata wreszcie znowu do mnie podjechał, spytałem:

– Tato, czy mógłbyś odpiąć mi te narty, bo chciałbym pójść do samochodu. Chyba już czas wracać do domu.

– Nic z tego, synu. Musisz choć raz zjechać na dół. Stojąc tutaj, nigdy nie nauczysz się jeździć na nartach, a to takie proste – skłamał tata. – Na początek najlepiej będzie, jak zjedziesz pługiem – dodał.

Niestety, tata nie miał na myśli wielkiej maszyny podobnej do traktora, która służy do odgarniania śniegu. Chodziło mu o dziwny sposób zjeżdżania na nartach. Czubki nart miały być złączone, a tyły szeroko rozstawione. Musiałem się wyprostować, ale jednocześnie ugiąć nogi w kolanach. Nie pamiętam już, jak miałem trzymać ręce. Trudno to opisać, a co dopiero zrobić. Tata twierdził, że to najłatwiejsza rzecz pod słońcem. Ale chociaż słońce świeciło jasno, nogi mi się poplątały, narty skrzyżowały i runąłem na brzuch.

– Może raczej powinienem kupić ci łyżwy? – jęknął tata. Ale się nie poddawał, postawił mnie na nogi i powiedział: – Zróbmy tak. Złap moje kijki i trzymaj je mocno, ja chwycę je z drugiego końca. Będę zjeżdżał powoli i pociągnę cię za sobą. Nic nie rób. Pochyl się tylko trochę i nie puszczaj kijków.

Ten pomysł mi się spodobał. Tata ruszył, a ja za nim. Może byłoby dobrze, gdyby jechał cały czas prosto, ale on ciągle skręcał to w lewo, to w prawo. Przez te zawijasy kijki wymykały mi się z rąk. Zwłaszcza że w grubych, narciarskich rękawicach niełatwo jest cokolwiek utrzymać. Chciałem to powiedzieć tacie. Właśnie otworzyłem buzię, gdy zobaczyłem tę dziewczynkę. Jechała obok bez pomocy kijków ani taty. Płynnie skręcała, lekko uginając nogi. W ogóle się nie bała i wyglądała na zadowoloną. Spojrzała na mnie i trochę zwolniła. Wyobraziłem sobie, co widzi. Chłopca z otwartymi ustami, trzymającego niezgrabnie kijki, za które ciągnie go tatuś.

Ona pewnie myśli, że na pupie mam pieluchę, a w kieszonce smoczek – pomyślałem.

Nie było wyjścia. Puściłem kije i zawołałem:

– Dalej już sobie, tato, jakoś poradzisz!

Potem w jednej chwili przypomniałem sobie wszystko, co usłyszałem kiedykolwiek na temat jazdy na nartach. Ugiąłem nogi w kolanach, lekko się rozkroczyłem, zbliżając do siebie czubki nart, i ruszyłem. Nie wiem, jak to się stało, ale tym razem odjechałem cały, a nie tylko moje nogi. Jakimś cudem złapałem równowagę i po raz pierwszy w życiu zjechałem na dół. Nie wiedziałem, jak się zatrzymać, więc po prostu wpadłem na tę dziewczynkę, która jechała przede mną. Okazało się, że ma na imię Ewa. Ewie bardzo podobały się moje narty, a mnie podobała się Ewa. Tego dnia zjechałem z górki jeszcze trzy razy, zanim tata zabrał mnie do domu. Fajnie było tak jechać autem z nartami na dachu. Pewnie wszyscy ludzie, których mijaliśmy, myśleli: Oho, jadą z gór dwaj narciarze.

Skoro już potrafię jeździć na nartach, to teraz chciałbym nauczyć się skoków. Szybowałbym sobie w powietrzu, lekko pochylony, a Ewa patrzyłaby z zachwytem – pomyślałem.

– Tato, następnym razem pojedziemy na skocznię i nauczysz mnie skakać, dobrze? Na początek skoczymy razem, ja polecę z tyłu i będę się trzymał twoich kijków. Skoczymy tak ze dwa razy, a potem już dam sobie radę sam – zapewniłem.

Tata uśmiechnął się od ucha do ucha, więc myślę, że mój pomysł mu się spodobał.

HOROSKOP

Jak ja nie lubię dowiadywać się o wszystkim ostatni. A o tym, że istnieją horoskopy dowiedziałem się dopiero kilka dni temu od babci. Do głowy by mi nie przyszło, że w gazetach piszą o tym, jaki będę miał humor w przyszłym tygodniu, i doradzą, czy lepiej oddać Maćkowi plastikowe robaki, czy się z nim bić. Teraz się nie dziwię, że dorośli czasem wiedzą coś lepiej, to proste – oni czytają horoskopy.

– Tomeczku, to tylko takie wróżby, trzeba je czytać z przymrużeniem oka – powiedziała babcia, ale wcale nie mrużyła oczu, kiedy czytała na głos swój horoskop: – Oszczędzaj siły. Gwiazdy mówią, że powinnaś odpocząć, bo inaczej odbije się to na twoim zdrowiu. – Tu babcia przerwała i spojrzała na mnie.

– No widzisz, to znaczy, że porządków na strychu dzisiaj nie zrobię. Strych poczeka, a ja odpocznę, bo faktycznie słaba coś jestem ostatnio.

– A co tam jeszcze jest napisane, babciu? – spytałem, bo zaniepokoiłem się, że gazeta każe babci odpoczywać przez cały dzień i że obiadu też dzisiaj nie będzie.

Babcia poprawiła okulary i wróciła do czytania:

– W sprawach sercowych możesz liczyć na korzystne zmiany.

– Czytaj, czytaj dalej, babciu – ponagliłem, bo babcia zrobiła taki ruch, jakby chciała odłożyć gazetę.

– Planety sprzyjają miłosnym porywom. Padną kuszące propozycje. Z końcem tygodnia szykuj się na romantyczną kolację przy świecach.

– Czy to znaczy, babciu, że znowu wyłączą nam prąd? – spytałem.

– Co takiego? – zdumiała się.

– No, skoro będziemy musieli jeść przy świeczkach, to chyba będzie awaria prądu – wyjaśniłem. – Ale czytaj dalej, babciu, czytaj. To bardzo ciekawe. Może wiedzą też, kiedy będzie awaria wody, wtedy nie musielibyśmy się myć – ucieszyłem się.

– Nic tu nie ma o wodzie, ale gwiazdy mówią, że do naszych drzwi zapuka niespodziewany gość – zakończyła babcia i złożyła gazetę. – A teraz, Tomku, koniec tego dobrego. Czas zabrać się do roboty. – Mówiąc to, babcia już wkładała naczynia do zmywarki. – I nie przejmuj się tak tym, co mówią gwiazdy, bo one czasem plotą trzy po trzy. – Babcia chciała jeszcze coś dodać, ale przerwał jej dźwięk dzwonka. Ktoś zadzwonił raz, krótko, jakby nieśmiało.

– A któż to może być o tej porze? – spytała i zdejmując fartuszek, poszła otworzyć.

Na progu stał pan Tadeusz, znajomy babci. Ostatnio długo chorował i nie wychodził z domu. Teraz wybrał się na pierwszy tej zimy spacer.

– Przepraszam, że przychodzę tak bez zapowiedzi. Ale byłem akurat w pobliżu i pomyślałem, że wpadnę na herbatkę – usprawiedliwiał się starszy pan. I chociaż odwiedził nas całkiem przypadkowo, to jakimś dziwnym trafem miał przy sobie pyszne czekoladki i bukiecik kwiatów dla babci.

– Róże o tej porze roku – westchnęła babcia i w jednej chwili usadziła gościa za stołem.

I podczas gdy pan Tadeusz pił herbatę, ja jadłem czekoladki i zastanawiałem się, skąd te gwiazdy wiedziały, że babcia będzie miała gościa. Świecą sobie tam wysoko, czasami mrugają, nic nie robią, a tyle wiedzą – pomyślałem z uznaniem. Od horoskopów kręciło mi się w głowie, od czekoladek bolał mnie brzuch, ale nie ruszałem się od stołu. Czekałem niecierpliwie na koniec wizyty, a gdy za panem Tadeuszem zamknęły się drzwi, z gazetą w ręce stanąłem przed babcią.

– Proszę, przeczytaj mi teraz mój horoskop.

– No dobrze – babcia rozsiadła się za stołem. – Tutaj jest napisane, że możesz liczyć na dobre i jeszcze lepsze wiadomości. Gwiazdy ci sprzyjają, będziesz miał szczęście i możesz zabłysnąć talentem. Sukces i podziw są ci pisane w tym tygodniu.

No i ja uwierzyłem w to wszystko. Dlatego gdy w przedszkolu pani ogłosiła konkurs na najładniejszy rysunek o zimie, uśmiechnąłem się tylko pod nosem. Ledwo spojrzałem na pustą kartkę, a już miałem gotowy plan, a nawet gotowy rysunek. Potem przyglądałem się, jak wszyscy pracowicie rysują bałwany, narciarzy, ośnieżone drzewa i dzieci na sankach. Sam nie robiłem nic. Na koniec oddałem pustą kartkę i wyjaśniłem zdziwionej pani:

– W zimie najwięcej jest śniegu, a śnieg jest biały jak ta kartka. Więc jak przez kilka dni sypie, to wszystko wygląda właśnie tak. – Z dumą uniosłem w górę biały arkusz papieru. – To chyba najlepszy obrazek o zimie – dodałem.

Byłem z siebie bardzo zadowolony, pani jakby trochę mniej. Konkurs wygrała Basia, która narysowała dzieci na ślizgawce. No i gdzie te dobre wiadomości, podziw i sukcesy? Gwiazdy mają źle w głowach, a horoskopy są do kitu – pomyślałem ze złością.

SPIS TREŚCI

Teatr Groteska ul. Skarbowa 2, 31-121 Kraków
Rezerwacja biletów: 012 633 37 62, 012 633 48 22
e-mail: rezerwacja@groteska.pl www.groteska.pl

O innych przygodach Tomka
można przeczytać w „Piegowatych
opowiadaniach" i „Opowiadaniach
dla przedszkolaków".

Wszystkie książki o Tomku
dostępne także
w formie audiobooka.

Czyta Artur Barciś.

Polecamy także inne książki Renaty Piątkowskiej

Pięknie ilustrowana
opowieść o tym,
co paluszki
przedszkolaka
robią przez cały dzień.

Kim będę, gdy dorosnę?
– zastanawiają się
dzieci: strażakiem,
gwiazdą filmową, pilotem
czy chirurgiem?
Pogodne i zabawne
opowiadania przybliżające
dzieciom
wybrane zawody.

Nie każdy ma dziadka.
Witek nie miał i czasami było mu
z tego powodu przykro. Do czasu
aż zaprzyjaźnił się z panem
Teofilem.
Pogodna, dowcipna i poucząca
opowieść o przyjaźni dzieci
z samotnym, sympatycznym
starszym panem.

Pełna oferta w naszej księgarni internetowej
www.wydawnictwobis.com.pl